Chère Lectrice,

*Vous avez entre les mains un livre
de la Série Romance.*

*Vous allez partir avec vos héroïnes
préférées vivre des émotions inconnues,
dans des décors merveilleux.*

*Le rêve et l'enchantement vous attendent.
Partez à la recherche du bonheur...*

*La Série Romance, c'est une rencontre,
une aventure, un cœur à cœur passionnant,
rien que pour vous.*

**Un monde de rêve, un monde d'amour.
Romance, la série tendre,
six nouveautés par mois.**

Regent's Park

British Museum

"Chez Nous"

Apt. de Laura

Cathédrale St Paul

Apt. Bowden

National Gallery

Tamise

Tour de Londres

Hyde Park

Trafalgar Square

Apt. du Révérend Talmadge

Buckingham Palace

Westminster

Parlement

Victoria Station

Tate Gallery

Tamise

Londres

Série Romance

JOAN SMITH

Trop jolie Laura

Les livres que votre cœur attend

Titre original : *Caprice* (255)
© 1983, Joan Smith
Originally published by Silhouette Books
a Simon & Schuster division of Gulf
& Western Corporation, New York

Traduction française de : Dominique Dudon-Coussirat
© 1984, Éditions J'ai Lu
27, rue Cassette, 75006 Paris

Chapitre premier

Laura Talmadge s'arrêta devant le restaurant *les Caves de France* pour contempler derrière la vitre l'effigie de carton qui la représentait grandeur nature, surmontée de l'inscription : « Ambiance musicale avec la ravissante Laura à l'orgue. » Comme elle l'avait demandé, son nom de famille ne figurait nulle part. Elle n'avait accepté de jouer de l'orgue électrique dans cet établissement, quatre soirs par semaine, qu'à cette condition. L'Académie royale de musique n'aurait, en effet, pas vu d'un bon œil qu'une élève aussi brillante que Laura s'exhibe dans un club pour arrondir ses fins de mois. Les *Caves de France* avaient beau se flatter d'être l'un des restaurants les plus chers de Londres, ce n'était pas le genre d'endroit fréquenté par la haute société, loin de là...

Aussitôt le seuil franchi, le premier adjectif qui venait à l'esprit pour qualifier ce décor trop luxueux était celui de « prétentieux ». Pas de messieurs sortant d'Oxford ou de Cambridge ici, pas de comtes ni de ducs. De temps à autre, on apercevait une vedette de la télévision ou du cinéma et encore... pas souvent.

Ses cheveux blonds protégés par un foulard, Laura remonta le col de son imperméable. Trois piétons lui jetèrent un regard au passage, sans remarquer la moindre ressemblance entre cette frêle silhouette et la somptueuse femme de carton exposée en vitrine. Il faut dire qu'à par le visage elles n'avaient vraiment rien de commun. L'effigie de carton avait été réalisée six mois auparavant pour Aimée, la précédente organiste. Et lorsque, après son départ, Jerry Holmes, le patron, avait engagé Laura, il s'était contenté de coller une photo agrandie de son visage au-dessus du corps voluptueux d'Aimée. Devant la poitrine rebondie qui débordait du vertigineux décolleté et cette taille ridiculement mince, Laura fit une petite grimace. On aurait dit l'affiche d'un mauvais film de série B ! Mais allez donc essayer de convaincre un homme comme Jerry Holmes...

— Vous devrez être sexy, lui avait-il déclaré. Tirer un meilleur parti de votre physique. Le mettre en valeur. Je vous apprendrai, vous verrez. Pour la musique, surtout pas de classique. Vous jouez dans un club, pas dans une église. *Tico Tico, La Vie en rose*, voilà ce qu'il faut à mes clients ! Ce ne sont ni des ecclésiastiques ni des gamins, mais des hommes mariés qui sortent leur petite amie ou des célibataires qui cherchent fortune. Ils viennent ici pour s'amuser.

— Que voulez-vous dire par sexy ? avait demandé Laura, méfiante.

— Eh bien, par exemple, il va falloir enlever vos lunettes. Je me demande bien pourquoi vous en portez, d'ailleurs.

— Oh ! je ne les ai mises que pour lire le contrat. Je n'en aurai pas besoin pour jouer. J'apprendrai les morceaux par cœur.

— A la bonne heure ! Vous avez des yeux splendides, grands, lumineux... Ne lésinez pas sur le maquillage. Il vous faudra aussi une robe décolletée, bien sûr.

— Décolletée ?

— Vous voyez cette serveuse là-bas ? avait-il dit en lui désignant une jeune fille vêtue d'une blouse paysanne et d'une jupe longue.

— Oui.

Dans un coin reculé de la salle, la serveuse était en train de se limer les ongles, une cigarette aux lèvres. Sa blouse moulante largement échancrée dévoilait des courbes généreuses.

— Voilà ce que je veux dire. Sexy mais raffinée.

Laura n'avait pu s'empêcher de sourire. Jerry avait une idée très particulière du raffinement !

— Vous jouez très bien, avait-il ajouté, bien mieux qu'Aimée. Mais ça ne suffit pas. Vous devrez aussi vous adapter à l'ambiance. Les clients ont envie de voir des jolies filles. Ils cherchent le dépaysement. Certains voudront vous emmener terminer la soirée ailleurs. Vous comprenez à quoi je fais allusion... N'acceptez jamais. Je tiens à la respectabilité de mon établissement.

— N'ayez crainte, je serai sur mes gardes, monsieur Holmes, avait-elle répondu en réprimant un sourire.

— Appelez-moi Jerry. Nous formons tous une grande famille, ici.

Il avait alors lancé un coup d'œil interrogateur vers sa femme. Et Vera Holmes, ayant examiné Laura de la tête aux pieds, semblait satisfaite. C'était une femme rondelette d'une cinquantaine d'années, qui en faisait dix de moins à la lumière tamisée du restaurant. Elle tenait la caisse. Comme les serveuses, elle était vêtue en paysanne, mais une paysanne qui se serait piquée d'élégance, ainsi qu'en témoignaient son collier de fausses perles et les bagues qui étincelaient à tous ses doigts. Vera était aussi typiquement anglaise que son époux. Ils avaient baptisé leur établissement *les Caves de France* parce qu'ils trouvaient cela distingué. Et ils

7

tenaient beaucoup à la distinction, non par ambition sociale, mais pour justifier les prix exorbitants
qu'ils pratiquaient.

— Quel âge avez-vous, ma petite? avait
demandé Vera. Vous n'êtes pas mineure, j'espère?
C'est que nous ne voulons pas avoir d'ennuis avec la
police.

— J'ai vingt et un ans, rassurez-vous.

— Vous avez l'air bien jeune...

— Je peux vous montrer mon permis de
conduire, avait proposé Laura en fouillant dans son
sac.

Ils avaient soigneusement étudié le document
avant de le lui rendre.

— Elle fera plus âgée avec un chignon. C'est
cette queue-de-cheval qui ne va pas, avait dit Jerry.
Et avec une robe un peu provocante...

— Tais-toi donc, avait coupé Vera. Laura n'est
pas comme Aimée. Elle a de la classe. Choisissez
plutôt une élégante robe du soir. Enfin, vous savez
mieux que nous ce qui vous va. Simplement, ne
soyez ni vulgaire ni trop stricte. Vous voyez ce que
je veux dire?

— Du satin rouge ou... avait commencé Jerry.

Une fois de plus, sa femme lui avait intimé
l'ordre de se taire.

— Je crois que je comprends, avait assuré Laura.

Et maintenant, elle se demandait quel genre de
robe... élégamment vulgaire elle allait pouvoir
mettre pour leur plaire à tous deux.

— Très bien. Vous travaillerez de vingt et une
heures à minuit et demi, du mercredi au samedi,
avait déclaré Vera. Quatre fois une demi-heure avec
trente minutes de pause entre chaque passage.
Vous recevrez un cachet plus les pourboires. Aimée
posait toujours un verre sur son orgue et y mettait
elle-même un billet d'une livre avant de commen-

8

cer à jouer pour montrer aux clients qu'elle ne se contentait pas de menue monnaie ! En général, ils donnent un pourboire quand ils vous demandent un air de leur choix. Ce que vous faites au-dehors ne nous regarde pas, mais ici nous ne voulons pas d'ennuis. Un club comme celui-ci a vite mauvaise réputation. Naturellement, si un client vous plaît, vous pouvez vous faire offrir un verre. Surtout si c'est un habitué.

— Jerry m'a déjà avertie. Soyez tranquille. J'ai autre chose à faire que de traîner avec les clients.

— Bon. Que faites-vous donc, à part jouer de l'orgue ?

— Je suis des cours à l'Académie royale de musique et j'ai du mal à joindre les deux bouts...

— Vous n'avez pas de famille ?

— Si. Un frère. Il est pasteur à la paroisse Saint-Peter. Les pasteurs ne roulent pas sur l'or.

— A qui le dites-vous ! Quand, par hasard, il en vient un, il se contente d'un verre de vin bon marché et, s'il laisse un shilling de pourboire, les filles peuvent s'estimer heureuses !

— Je crois bien que Francis n'a jamais dû entrer dans un endroit comme celui-ci, avait affirmé Laura.

La salle du restaurant ressemblait à une cave. Les murs étaient recouverts de tentures rouge et or avec de grandes glaces encastrées un peu partout. Des lampes électriques vissées sur des bougeoirs dorés imitaient la lumière vacillante des bougies. Des chandelles, véritables celles-là, éclairaient les tables recouvertes de nappes blanches. Pour confirmer le nom du restaurant, les menus étaient écrits en français avec la traduction anglaise à côté.

— Si vous avez faim vous pourrez prendre un encas à la cuisine, pendant les pauses.

Dès le début Vera avait témoigné une sollicitude

toute maternelle à Laura, si mince et pâle et, surtout, pas le moins du monde insolente. Pour Vera, l'insolence était la pire des calamités. Elle ne risquait pas d'oublier l'organiste qui avait précédé Aimée, celle qui avait fait du charme à Jerry jusqu'à ce que celui-ci lui prête de l'argent. Quel idiot ! S'ils s'étaient lancés dans les affaires, c'était pour s'acheter la ferme de leurs rêves et non par philanthropie !

— Y a-t-il un coin tranquille où je pourrai étudier pendant les entractes ? avait demandé Laura. J'ai souvent du travail à faire pour l'Académie. Des devoirs à écrire...

— Il y a une petite loge près du vestiaire. Vous pourrez utiliser la coiffeuse comme bureau.

Debout sur le trottoir dans la brume de ce début avril, Laura pensait aux trois mois qu'elle venait de passer aux *Caves de France*. L'expérience avait été très enrichissante. Maintenant, elle savait faire face aux avances des séducteurs de tout poil. Bien que toujours cordiale avec les clients, elle ne leur donnait jamais son nom de famille ni son adresse. S'il lui arrivait d'accepter de boire un verre avec l'un d'eux, elle ne le laissait jamais la raccompagner chez elle. Devant son comportement irréprochable, Jerry et Vera l'avaient définitivement adoptée. Elle gardait ses distances avec les clients, ne se servait pas au bar sans payer, ne bourrait pas ses poches de nourriture avant de s'en aller et n'emportait pas les petites cuillères en argent, bref c'était une fille « très bien ».

Quand la belle-sœur de Laura accoucha, en février, ils trouvèrent un logement à leur organiste. Jerry était propriétaire de plusieurs appartements près du restaurant ; il lui en proposa un. Elle accepta sans hésiter. Les studios étaient si rares et si chers à Londres! Malheureusement, les aménagements décidés par Vera ne correspondaient pas tout à fait à son goût.

— J'ai tout décoré moi-même, avait fièrement déclaré Mme Holmes en lui faisant visiter l'appartement.

Ce qui sautait aux yeux, c'était un mélange détonnant de rouge, d'orange, de jaune et de vert. Au salon, un sofa pourpre trônait à côté d'un gros fauteuil vert, le tout posé sur une moquette jaune. Devant l'étroite fenêtre, les rideaux étaient rouge vif. Et des suspensions en métal doré éclairaient des tables en formica. La chambre avait les dimensions d'un placard, tout comme la cuisine équipée cependant d'un réfrigérateur et d'une cuisinière à gaz. Mais tout cela importait peu pour Laura. L'essentiel était le montant très raisonnable du loyer.

— Pourquoi faire appel à un décorateur qui aurait demandé une fortune? Je suis capable de faire aussi bien, vous ne trouvez pas?

Trop contente d'avoir trouvé à se loger, Laura n'avait pas contrarié Vera. Elle avait seulement demandé :

— Ça vous ennuierait que je fasse quelques petits changements? Maman m'a légué certains objets que j'aimerais garder. Ils ont une valeur sentimentale, avait-elle ajouté pour ne pas la vexer.

— Pourquoi pas, mon petit? Vous êtes chez vous. Installez-vous à votre guise. Tant que vous ne faites pas d'auréoles sur les tables ni de trous de cigarettes dans la moquette... Mais je sais que vous n'êtes pas du genre à donner de folles soirées.

— Bien sûr que non!

— Ça n'est pas comme vos voisines! Ces deux femmes ne sont pas plus mannequins que vous et moi. Jerry s'est laissé prendre à leur baratin et nous ne pouvons rien faire avant l'expiration de leur bail. L'une d'elles se prétend hôtesse dans un club privé pour hommes. Il existe un nom pour ce genre de femmes... et je ne me permettrais pas de le prononcer. De toute façon, vous ne les verrez pas souvent. Vous passez vos journées à l'Académie et quatre soirées sur sept au restaurant. Et puis vous devez aller de temps en temps chez votre frère ?

— Oui. Tous les dimanches.

— Pas de petit ami ? Mignonne comme vous l'êtes, vous avez certainement une foule de soupirants !

— Il m'arrive de sortir mais rarement. Mes amis étudiants n'ont pas les moyens de faire des folies. Nous allons au cinéma, à des conférences ou au concert quand on peut avoir des places debout.

— Je suis persuadée qu'un jour vous serez riche et célèbre. Il me tarde de vous voir sur la scène de l'Albert Hall, vêtue comme une princesse et accueillie par un tonnerre d'applaudissements !

— Ce jour-là, je vous promets que vous aurez des billets !

— Merveilleux ! Nous en serons ravis.

Laura fit de son mieux pour embellir son appartement. Son petit tapis persan camoufla une partie de la moquette et le canapé disparut sous une couverture afghane tissée à la main. Elle rangea les coussins de satin sur la dernière étagère d'un placard, avec les horribles bibelots choisis par Vera. Sur la table roulante, le cendrier chromé des *Caves de France* fut remplacé par le service à thé en argent de sa mère. Elle plia soigneusement le panneau mural — un tigre et un oiseau peints sur du velours noir — qu'elle mit sous le lit pour le remplacer par des paysages du XIXe siècle. Elle n'avait pas les moyens d'en faire davantage mais ces petites améliorations donnaient à l'appartement une tout autre allure.

Laura jeta un bref coup d'œil à son étrange double de carton qui souriait à l'entrée — elle avait fini par s'y habituer — et poussa la porte des *Caves de France*. En gagnant sa loge, elle constata que la salle était à moitié vide.

Elle brossa ses cheveux en arrière jusqu'à ce qu'ils retombent sur ses épaules en vagues souples et naturelles, puis elle procéda à sa métamorphose. A l'aide d'un crayon noir, elle redessina la ligne de ses sourcils et allongea ses yeux vers les tempes. Ayant ombré ses paupières avec du fard mauve, mis du fond de teint et du rouge à lèvres rose vif, elle se redressa pour juger du résultat. Satisfaite, elle accrocha à ses oreilles de grands pendentifs en cristal qui scintilleraient comme des diamants à la lumière douce de la salle. Jerry aimait les bijoux étincelants. Aussi glissa-t-elle à son annulaire gauche une bague ornée d'un faux saphir énorme. Elle avait des mains ravissantes, longues et fines, avec de jolis ongles.

Quoique moins décolletée que ne l'aurait souhaité M. Holmes, sa robe du soir bleu nuit était à couper le souffle. Elle lui découvrait largement les épaules et moulait sa taille fine et ses hanches minces. Les manches longues lui donnaient une allure très sophistiquée.

Elle se contempla encore une fois devant le miroir. Mon Dieu ! pensa-t-elle, mes parents seraient horrifiés s'ils me voyaient ! C'était pourtant son frère qui l'avait poussée à accepter ce travail. Il avait l'esprit assez ouvert pour ne pas trouver immoral que son organiste du dimanche joue de l'orgue électrique dans un club pendant la semaine. Francis n'était pas un de ces pasteurs vieux jeu et coupés des réalités du monde moderne. Un soir, il avait même emmené sa femme Mavis aux *Caves de France* pour assister au spectacle de Laura. D'ailleurs, comme bon nombre de jeunes pasteurs, il avait depuis longtemps abandonné la traditionnelle tenue de clergyman.

— Je suis désolé de ne pouvoir t'aider financièrement, Laurie, avait-il dit. Mais avec l'arrivée du bébé...

— Ne t'en fais pas, Francis. Tu as déjà fait beaucoup pour moi en me laissant habiter chez toi pendant deux ans. Maintenant je connais Londres comme ma poche et je suis capable de me débrouiller. Il me reste un an d'études avant d'avoir mon diplôme. Je pourrais y arriver sans travailler mais j'aimerais mettre un peu d'argent de côté... parce que, l'année prochaine, je voudrais me lancer dans la composition.

— Peut-être aurons-nous déménagé dans une grande maison? Dans ce cas, tu reviendras chez nous.

— Pourquoi pas? Peut-être aussi que je serai mariée... Qui sait?

— Pas avec un des types que tu rencontres au club, j'espère!

— Ça, sûrement pas! avait-elle répondu en riant.

Mais elle avait pensé à ce client qui la demandait en mariage plusieurs fois par semaine... Il venait aux *Caves de France* presque tous les soirs sauf le samedi.

Ce soir-là, en entrant dans la salle, elle le vit installé à sa table habituelle.

Le projecteur s'alluma et Jerry, dans son smoking mal coupé, l'annonça. Elle salua, souriante. Elle avait mis son répertoire au point avec les Holmes. Il commençait par une série de mélodies extraites de comédies musicales comme *Hello*,

Dolly ! ou *Cabaret*, et très faciles à jouer pour elle. A son avis, ce qu'elle jouait là ne méritait même pas le nom de musique. Elle avait un style brillant et ne lésinait pas sur les arpèges, ce qui, tout en donnant au public l'illusion d'écouter de la grande musique, forçait son émotion. A force de les répéter, elle jouait les morceaux sans partition et presque sans réfléchir. Elle pouvait ainsi observer à loisir son auditoire.

A la fin de sa première prestation, elle se leva, salua et disparut derrière le rideau avant que son admirateur ne puisse lui adresser la parole. Il commençait vraiment à l'agacer avec ses airs d'amoureux transi ! Pourtant, à la fin de son deuxième passage, elle fut prise d'une certaine pitié pour Sean Bowden. Déjà il se levait pour l'inviter à sa table.

— A ma prochaine pause, Sean, répondit-elle.

— Je ne serai plus là. Je dois partir tôt ce soir, dit-il avec un regard implorant de chien battu. Je serai absent toute la semaine... J'avais espéré vous parler un peu avant de rentrer chez moi pour les vacances de printemps.

Sean étudiait l'économie à l'université de Londres mais contre son gré car il rêvait de pénétrer dans le monde prestigieux des arts — théâtre, cinéma, musique ou littérature. Il n'avait de talent pour aucun d'eux et s'obstinait à croire qu'il était fait pour ça.

Pour préserver son sacro-saint anonymat, Laura lui avait caché qu'elle aussi poursuivait ses études. Et le mystère dont elle s'entourait avait probablement beaucoup joué dans l'attirance qu'elle exerçait sur lui.

— Dans ce cas, prenons un verre d'adieu, répondit-elle en le suivant à sa table.

— Comme d'habitude ? s'enquit-il avec un sourire complice.

— Comme d'habitude.

Avec Sean, elle commandait toujours du vin rouge. C'était la boisson la moins chère et elle craignait que ses soirées aux *Caves de France* ne lui coûtent déjà bien trop cher. Il n'avait pourtant pas l'air pauvre. Bien que simplement vêtu, il ne manquait pas d'élégance. Ce soir, il portait une veste de tweed et un chandail en cachemire. Dans quelques années, il serait sûrement très bel homme mais, pour le moment, il avait tout du gamin monté en graine avec ses longues jambes trop maigres, ses cheveux bruns qui lui tombaient sur le front et ses yeux sombres qui la dévisageaient comme si elle avait été un ange tombé du ciel.

Quand on leur eut apporté leurs verres, il essaya de lui prendre la main si franchement que le vase où s'épanouissait une rose blanche vacilla dangereusement.

— Je serai absent toute la semaine, répéta-t-il en guettant sur le visage de Laura l'effet de cette nouvelle.

Elle dissimula son soulagement sous un petit sourire triste.

— Et vous allez dans votre famille ?

— Oui, dans notre propriété du Sussex, à Hazel-hurst.

— J'espère que vous passerez de bonnes vacances.

— Comment le pourrais-je... si loin de vous... murmura-t-il en lui caressant les doigts. Si mon père n'était pas malade, je n'irais pas.

Sous le prétexte d'avaler une gorgée de vin, Laura dégagea doucement sa main.

— Qu'allez-vous faire en mon absence ? demanda-t-il.

— Je vais continuer à massacrer cet orgue du mercredi au samedi !

— Massacrer ? Vous jouez comme un ange ! Vous avez tout d'un ange d'ailleurs, avec vos cheveux... comme une pluie d'argent sur vos épaules. Laura, vous ne voulez pas me parler de vous... ?

— Il n'y a pas grand-chose à dire...

— Je vous imagine dans un château enchanté avec une fée pour marraine... Vous vous nourrissez du nectar des fleurs, vous lisez des poèmes du matin au soir...

— Quel ennui ! Cette vie ne me plairait pas du tout, Sean ! Je vous assure que je ne suis pas plus princesse qu'espionne... même pas une riche veuve ! Je suis une Anglaise ordinaire, obligée de travailler pour gagner sa vie.

— Pourquoi piétiner mes illusions ? Il n'y a rien d'ordinaire en vous, s'écria-t-il avec ferveur. Votre corps semble avoir été sculpté dans l'ivoire ! J'aimerais vous emmener avec moi à Hazelhurst pour vous présenter à ma famille.

— Cher Sean, fit-elle d'un ton maternel, à quoi cela servirait-il ? Nous se serons jamais rien de plus que des amis. Je suis flattée que vous m'aimiez bien, mais...

— Que je vous aime bien ? Moi ? Mais je suis fou de vous. Je vous l'ai dit cent fois ! Quand je sais que je vais vous voir le soir, je ne tiens pas en place. Les jours où vous ne jouez pas, je passe mon temps à errer dans les rues dans l'espoir de vous apercevoir dans la foule, de vous suivre jusque chez vous et de savoir enfin qui vous êtes !

— Vous feriez mieux de travailler ! Comment se sont passés vos examens ?

— Je n'ai pas encore les résultats. J'ai sans doute lamentablement échoué. Comment voulez-vous que je m'intéresse à l'inflation et aux taux d'intérêt ?

Tout ce que je désire, c'est être avec vous. Epousez-moi, Laura. Laissez-moi vous sortir d'ici, fit-il en désignant la salle d'un grand geste du bras.

Il heurta du coude un serveur qui passait avec un plateau chargé de verres, et qui parvint miraculeusement à éviter la catastrophe. Sean lui lança un coup d'œil indigné et reprit :

— Vous n'êtes pas à votre place, ici. Vous êtes comme... une fragile orchidée qui pousserait sur un tas d'ordures.

— Vous exagérez ! Les *Caves de France* sont un établissement très chic, dit-elle d'un ton ironique.

— Quand j'y suis entré, il y a deux mois, je n'imaginais pas que ma vie allait en être transformée... Laura, je ne suis sorti avec personne depuis cette mémorable soirée.

— Vous avez tort. Vous devriez vous tourner vers les filles de votre âge. Je suis beaucoup trop vieille pour vous.

— Pas tant que ça. Je ne suis pas si jeune que vous le croyez ! Je pourrais très bien abandonner l'université et trouver un travail.

— Sean ! Que dites-vous là ? Pensez à votre avenir !

— Un avenir sans vous m'est insupportable ! s'écria-t-il avec fougue.

— Vous devez terminer vos études. Et ne vous mettez pas dans la tête que vous êtes amoureux de moi, vous ne me connaissez même pas !

— Parce que vous ne le voulez pas... Et c'est injuste puisque vous, vous savez tout de moi.

— La première fois que j'ai accepté de prendre un verre avec vous, je vous ai averti. Je ne donne jamais mon nom ni mon numéro de téléphone à un client. Notre amitié est fondée là-dessus. Et si cela ne vous suffit pas, pourquoi venir ici ? Vous feriez mieux de m'oublier.

— Comme vous êtes cruelle, Laura. Vous me torturez. Réflexion faite, je crois que je vais rester à Londres. Ma mère va piquer une crise de nerfs, mon frère va lancer la police à mes trousses... Tant pis ! Ils me traitent toujours comme un gamin, grommela-t-il.

Il frappa du poing sur la table et, cette fois, le vase se renversa.

— Ah ! Je me demande pourquoi ces fichues tables sont si petites !

— C'est vrai que vous êtes un gamin, Sean. Une autre femme que moi pourrait profiter de vous.

— Pas vous. Je le sais. Vous refusez même de me laisser vous raccompagner chez vous ou de vous envoyer des fleurs. Il y a un autre homme ? C'est ça ?

Elle faillit lui répondre oui pour couper court à cette conversation absurde puis elle se ravisa de crainte qu'il ne provoque un scandale.

— Non, Sean. C'est simplement qu'en ce moment les hommes ne m'intéressent pas.

— Vous avez été maltraitée ! C'est ça ! Il ne vous battait pas, au moins ? s'écria-t-il en serrant les poings. Je vous vengerai !

— Non, personne ne m'a battue. Ne soyez pas si mélodramatique.

— Mais comment expliquer votre indifférence ? Pourquoi êtes-vous si lointaine, inaccessible ? Je ne vous l'ai jamais dit, Laura, mais si vous croyez que je ne pourrai pas vous entretenir, vous vous trompez. Ma famille est très riche. J'ai moi-même hérité une petite fortune d'un oncle. Malheureusement, un notaire borné refuse que j'y touche avant ma majorité.

— Mais je ne suis pas une aventurière !

— Non, vous êtes un ange.

— Décidément, vous tenez à me faire porter des ailes !

— Je sais que l'argent ne vous intéresse pas.

Fouillant dans la poche intérieure de sa veste il en sortit une petite boîte carrée qu'il ouvrit d'une main malhabile. Laura retint son souffle, émerveillée par ce qu'elle vit alors : une bague ornée d'un diamant aussi énorme que le faux saphir qu'elle portait...

— Elle me vient de ma famille, déclara-t-il.

Il sortit la bague de l'écrin et la lui glissa au doigt. Curieuse de savoir si la pierre était véritable, elle le laissa faire. C'était une monture ancienne, simple et élégante. L'éclat extraordinaire du diamant l'éblouit.

— D'où vient cette bague, Sean ? Elle est magnifique !

— Pas autant que vous. L'acceptez-vous ? C'est une bague de fiançailles...

— Non, bien sûr que non !

Elle la lui rendit.

— Ce bijou appartient à ma famille depuis des générations. Mon grand-oncle Thaddeus l'a rapporté des Indes au début des années 1880. Je vous en prie, gardez-le. J'aimerais que cette affaire soit réglée avant mon départ.

— Mais elle l'est déjà, Sean !

Il la supplia encore puis il soupira.

— Il faut que je file. J'ai promis à ma mère d'être à la maison ce soir.

— Vous feriez mieux de vous dépêcher.

— Oui, mon train part dans un quart d'heure.

— Sean ! Vous n'y arriverez jamais !

— Un taxi m'attend. Promettez-moi d'être encore ici à mon retour.

— J'y serai. Je n'ai aucune intention de quitter mon travail.

Il lui embrassa la main et se leva. Un peu plus tard, assise devant l'orgue, elle le vit, toujours debout sur le seuil, les yeux rivés sur elle. Bien qu'ayant très probablement raté son train, il finit par sortir.

— Votre soupirant est parti tôt ce soir, lui dit Vera quand elle se rendit à la cuisine après son troisième passage.

— Oui. Dieu merci, je ne le verrai pas de la semaine ! Il devient terriblement pressant. Ce soir, il m'a même offert un diamant ! Je ne sais comment me débarrasser de lui...

— Vous avez trop bon cœur, Laura. A son retour, vous n'avez qu'à vous asseoir à la table d'un autre plusieurs soirs de suite. Il finira par comprendre, vous verrez.

— J'en doute ! La semaine dernière, j'ai essayé de l'ignorer mais rien à faire... Il a insisté jusqu'à ce que je ne puisse plus supporter son air de chien battu.

— Il est plutôt joli garçon, remarqua Vera. Il était gros, ce diamant ?

— Enorme ! Il prétend que c'est un bijou de famille.

— Possible... Vous savez, s'il était pauvre, il ne pourrait pas venir ici tous les soirs. C'est beaucoup trop cher pour un simple étudiant. Bowden... c'est bien comme ça qu'il s'appelle ?

— Oui. Sean Bowden.

— Ce nom me dit quelque chose. Je l'ai lu dans les journaux, je crois, ou entendu à la télévision. Que fait son père ?

— Je n'en sais rien. Apparemment, il vit à la campagne.

— Ça vaudrait le coup de le découvrir, Laura. C'est peut-être un lord, après tout ?

— Vivement la fin de l'année scolaire ! Il ira

passer l'été dans le Sussex et toute cette histoire ne sera plus qu'un souvenir.

— C'est vrai qu'il est un peu jeune... Vous voulez un gâteau, mon petit ? Il reste quelques éclairs.

— Eh bien... Je préférerais finir la langouste que j'aperçois là-bas.

— Servez-vous. Je me demande comment on peut avaler ces horribles bestioles ! Dire que les gens paient une fortune pour ça !

— Vous ne savez pas ce que vous ratez ! répondit Laura en brandissant sa fourchette. C'est un vrai régal !

L'heure de son dernier passage arriva. Jerry aimait bien que la soirée s'achève sur des airs gais et entraînants. Ils avaient choisi de la musique sud-américaine : un pot-pourri d'airs brésiliens et, enfin, le grand tube des années soixante, *Tico Tico*, toujours chaudement applaudi. Après avoir salué, Laura quitta la scène et sortit par la porte de derrière où un taxi l'attendait. Elle s'autorisait chaque soir cette dépense extravagante par souci tant de sa sécurité que de son bien-être.

Pendant le trajet, elle repensa à sa soirée. Si Sean avait de la chance d'être tombé sur une femme qui ne risquait pas de profiter de lui, elle aussi en avait. Un homme plus rusé et plus entreprenant aurait découvert son adresse depuis belle lurette et l'importunerait sans relâche.

Sean était si innocent, si naïf, si amoureux d'elle... Pourrait-elle se résoudre à l'envoyer au diable ? Pourtant, dès son retour, il faudrait qu'elle lui dise clairement de ne plus venir au club. C'était cruel de le laisser ainsi broyer du noir pour rien, soir après soir. Et il lui avait offert un bijou de famille comme bague de fiançailles alors qu'il ne connaissait même pas son nom ! Tout cela était trop

22

absurde. Il serait certainement très blessé d'être éconduit... pendant quelques jours. Il surmonterait vite cette épreuve et tous deux ne s'en porteraient que mieux.

Chapitre deux

Les jours suivants, pendant l'absence de Sean, Laura se sentit le cœur plus léger. Le samedi, soir d'affluence aux *Caves de France*, elle mit sa robe noire très moulante, fendue jusqu'au genou, et décolletée dans le dos presque jusqu'à la taille. Elle compléta sa toilette par d'énormes boucles d'oreilles et une grosse rose épinglée sur la hanche. Elle était si belle qu'à son entrée en scène elle fut accueillie par un tonnerre d'applaudissements. Elle salua et s'installa à l'orgue. Quand sa jupe fendue dévoila ses jambes gansées de nylon, des sifflements admiratifs fusèrent. Elle y répondit par un grand sourire. Son trac des premiers jours avait disparu depuis longtemps. Elle aimait donner du plaisir au public. Si son apparence y contribuait, où donc était le mal ?

Ses doigts se mirent à virevolter sur le clavier ; sa bague de cristal brillait de mille feux sous les projecteurs. Elle parcourut la salle des yeux à la recherche d'une tête connue. Le samedi, on voyait parfois au club une vedette de la TV ou du cinéma. Pas ce soir. Elle remarqua que la table la plus proche de l'orgue était libre. C'était étrange. En général, on refusait du monde le samedi. Un instant plus tard, le serveur amenait un homme à cette table. Sans doute l'avait-il réservée. Il n'était pas accompagné mais les hommes d'affaires de passage venaient souvent seuls et repartaient de même. S'ils avaient eu l'espoir de trouver une fille ici, ils en étaient pour leurs frais. Jerry ne plaisantait pas quand il s'agissait de la respectabilité de son établissement.

Du coin de l'œil, elle vit que l'homme était particulièrement beau. Grand, les cheveux aussi noirs que les yeux, il avait un type latin encore accentué par son teint bronzé. Alors que la plupart des clients avaient fini de dîner, il commanda un repas complet et, tout en sirotant un apéritif, il garda les yeux rivés sur Laura. Encore un qui n'allait pas tarder à l'inviter à sa table, songea-t-elle avec un petit frisson car c'était là le genre de client qu'elle redoutait — expérimenté et plus âgé qu'elle. Il avait un visage d'oiseau de proie sensuel et des yeux qui en disaient long. A plusieurs reprises, elle croisa involontairement son regard et veilla ensuite à ne plus tourner la tête vers lui. A la fin de chaque morceau, il applaudissait chaleureusement.

Lorsqu'elle monta sur scène après la première pause, il se leva, s'approcha d'elle et lui dit avec un beau sourire :

— Bonsoir, mademoiselle. Puis-je vous demander de jouer un air de mon choix ?

Il avait une belle voix grave et un léger accent étranger.

— Oui, si je le connais.

Elle répondit avec une nervosité bizarre et incontrôlable, certainement due aux manières de cet homme, un peu trop désinvoltes à son goût. En effet, il regardait sa bouche, son cou, sa poitrine... avec une sorte d'admiration avide.

— Il s'agit de *La Vie en rose*, dit-il.

— Ah... Vous voulez que je le joue ?

— J'en serais charmé. Vous chantez aussi ?

— Non. C'est une chanson d'Edith Piaf, n'est-ce pas ?

— En effet. Une des meilleures chanteuses de ce siècle. C'est du moins ce qu'on affirme chez nous, en France, où on l'appelait « l'hirondelle des faubourgs »... Vous, je vous comparerais plutôt à une colombe. Vous ne chantez peut-être pas mais votre voix a la douceur d'un roucoulement...

— Vous êtes français ?

Quelle question stupide ! Il venait de le lui dire...

— Oui, j'habite Paris.

Il déposa alors dans le verre un billet plié en deux et Laura reconnut une coupure de cinq livres. C'était beaucoup trop pour un seul morceau... Le bel étranger attendait visiblement plus qu'un air de musique pour son argent. Eh bien, se dit-elle, il allait être déçu.

A la fin du morceau elle lui adressa un petit signe de tête auquel il répondit par un sourire satisfait. Puis il se mit à étudier la carte des desserts et finit de dîner en lui lançant simplement un coup d'œil de temps en temps. A son grand soulagement, son second passage s'acheva sans qu'il se manifeste. Mais, lorsqu'un autre client lui demanda de prendre un verre avec lui, elle refusa d'une voix un peu trop forte. Elle voulait faire comprendre à l'étranger qu'elle ne répondait jamais aux avances des clients. Malheureusement, à son air approbateur et plein d'espoir, elle comprit que sa tactique avait échoué. Il croyait qu'elle n'avait refusé que parce qu'elle attendait qu'il l'invite, lui ! Rouge de confusion, elle sortit précipitamment de scène. Pourvu qu'il soit parti ! pensa-t-elle après sa seconde pause.

Il était toujours là, devant un verre de cognac. Dès qu'il la vit, il se leva et vint à sa rencontre.

— Puis-je vous offrir un verre, mademoiselle ?

26

Difficile métier que le vôtre... Vous faites tout pour plaire aux hommes que vous êtes, ensuite, obligée de décourager.

— Vous avez déjà été trop généreux. Je ne bois jamais en jouant. Merci.

— Et après, accepterez-vous de vous joindre à moi ? Le gêneur de tout à l'heure vient de partir.

— Non. Merci quand même, dit-elle les yeux baissés sur le clavier.

— Mais je croyais... je vous en prie, supplia-t-il. Je suis un étranger perdu dans cette grande ville. J'ai envie de bavarder un peu, c'est tout.

— Alors... j'accepte, dit-elle subitement.

Que risquait-elle ? S'il était de passage, il ne pourrait pas la poursuivre longtemps de ses assiduités, comme Sean qui habitait Londres. De plus, la pause suivante était la dernière de la soirée. Ensuite, elle jouerait, sauterait dans son taxi et rentrerait chez elle. Et puis cet homme dégageait un magnétisme irrésistible. Il était tellement beau...

Quand elle eut fini de jouer, il se leva pour l'accueillir à sa table.

— Que désirez-vous boire, mademoiselle ? Un cognac, du champagne ?

— Je me contenterai d'un verre de vin rouge.

— Dans ce cas, permettez-moi de vous conseiller. Nous autres, Français, sommes experts en ce domaine, vous le savez. Je pense que vous préférerez un vin plus léger que le bordeaux... Un beaujolais, peut-être, ou un chinon ?

— Non, du vin ordinaire. Ça ira très bien.

— Ah non ! Impossible... Cela vous donnerait une bien piètre opinion de nos vignobles ! Mmmm... le choix est limité, grommela-t-il en parcourant la carte des vins. Je vais appeler le sommelier.

— Inutile. Nous n'avons pas de sommelier ici. Je prends toujours la cuvée de la maison.

— J'en déduis que vous ne percevez pas de pourcentage sur les boissons que vous entraînez vos... amis à consommer, déclara-t-il avec tant d'humour et de gentillesse qu'elle ne pouvait s'en offenser. Qu'à cela ne tienne, nous allons quand même nous offrir une bonne bouteille.

Celle qu'il commanda était d'un prix astronomique, elle le savait.

— C'est idiot, protesta-t-elle, je n'y connais rien en vins. Je ne saurai pas l'apprécier. Et vraiment, une bouteille entière...

— Je vous aiderai à la boire.

— Dans ce cas, monsieur...

— Dufresne. Henri Dufresne. Je suppose que j'ai l'honneur de m'adresser à la « ravissante Laura » ? C'est à cause de votre photo que je suis entré ici. A cause aussi du nom du restaurant. Un nom trompeur, d'ailleurs. Cet endroit n'a de français...

— ... que le nom, admit-elle avec un sourire malicieux.

— La photo aussi est trompeuse. Elle est loin de rendre justice à la « ravissante Laura », dit-il en la dévisageant de ses yeux sombres.

Elle sentit aussitôt ses joues s'empourprer.

— Merci, murmura-t-elle aussi calmement que possible.

— Vous devriez poursuivre en justice le dessinateur qui a osé faire de vous une caricature aussi grossière. Puis-je connaître votre nom de famille ?

— Non... c'est-à-dire, appelez-moi Jones. Laura Jones.

Dieu sait pourquoi, elle ne pouvait avouer à cet étranger si courtois qu'elle tenait à l'anonymat. Quand le serveur apporta la bouteille, Dufresne étudia l'étiquette avec attention, puis goûta le vin d'un air de connaisseur. Il fit claquer sa langue, réfléchit un instant et finit par hocher la tête.

— Ça ira. Le beaujolais doit être servi plus chambré et celui-ci n'est hélas pas un grand cru. Je m'y attendais. Je m'excuse de ne pouvoir faire mieux, mademoiselle Jones.

— Ce sera parfait, assura-t-elle.

Ce vin lui parut cent fois meilleur que celui qu'elle buvait en général.

— Je vois que vous êtes vraiment expert en vins, dit-elle pour entamer la conversation.

— En vins et en femmes... comme tout Français qui se respecte. Si je peux me permettre, aux *Caves de France*, les femmes sont de bien meilleure qualité que les vins. Plus chères aussi, j'imagine, ajouta-t-il avec un petit sourire interrogateur.

Laura sentit son cœur lui manquer. Il levait le voile sur ses intentions encore plus franchement qu'elle ne l'avait craint.

— Les femmes ne sont pas à vendre, ici, monsieur. Si vous recherchez ce genre de compagnie...

— Je vous ai offensée ? demanda-t-il en fronçant les sourcils, l'air consterné. Je ne pensais pas à mal. Ah ! je vois... vous avez cru que je parlais d'acheter les faveurs d'une dame, c'est ça ? Vous m'avez mal compris.

Laura ne voyait pas du tout quel autre sens elle aurait pu donner à ses paroles. Mieux valait changer de sujet...

— J'ai peut-être surestimé la façon dont vous parlez anglais, déclara-t-elle.

— Je l'ai appris tout seul. Je vais souvent voir des films anglais en version originale et je lis aussi vos abominables journaux. Sans compter mes fréquents voyages d'affaires en Angleterre.

— Quel genre d'affaires, monsieur Dufresne ?

s'enquit-elle, soulagée de se retrouver en terrain sûr.

— C'est assez varié. Je possède entre autres un vignoble dans la vallée du Rhône. Mais si je suis à Londres, c'est pour préparer le tournage d'un film.

— Un spot publicitaire sur le vin de votre vignoble ?

— Pas du tout. Pour un film de fiction, un vrai film. Quelques scènes seront tournées à Paris mais l'action se déroulera à Londres. Il y aura du suspense... et de l'amour, bien sûr.

— Seriez-vous producteur ?

— Je ne m'occupe que du financement mais j'ai mon mot à dire sur le choix des acteurs. Vous savez jouer la comédie, Laura ?

— Non...

— Quel dommage ! Avec un physique comme le vôtre ! Dès que je vous ai vue, Maria a cessé d'être brune pour devenir blonde... Maria est l'héroïne de notre film. Vos cheveux blond argenté sont si extraordinaires...

— Oh ! C'est leur couleur naturelle !

— C'est bien là une réaction de femme, Laura. Vous prenez tous mes compliments pour des insultes... Ça vous plairait de jouer dans mon film ?

— Non.

— C'est bizarre. A Paris, toutes les filles rêvent de devenir star !

— Dans ce cas, vous n'avez que l'embarras du choix ?

— Maria est anglaise.

— Beaucoup d'Anglaises rêvent aussi de faire du cinéma.

— Mais pas Laura ? demanda-t-il avec tristesse.

— Je crains que non.

— Que faites-vous à part jouer de l'orgue ?

— J'ai... j'ai une autre occupation. Je travaille pendant la journée...

— Quel genre de travail ? insista-t-il. Comme vous êtes mystérieuse... Je commence à me demander si vous n'êtes pas une espionne !

— Je donne des leçons d'orgue, mentit-elle.

— Des leçons à domicile ?

— Non, dans une école.

— Quelle école ?

— L'Académie royale d'orgue, inventa-t-elle, persuadée qu'un étranger n'y verrait que du feu.

— Elle dépend de l'Académie royale de musique ?

— Non...

— Et vous rêvez de jouer un jour à l'Albert Hall ? de faire des tournées dans le monde entier ? Je suis certain que vous aurez du succès avec la variété qu'offre votre répertoire, dit-il d'un ton neutre.

Etait-il sérieux ? Se moquait-il d'elle ?

— Vous savez très bien que ce que je joue ici n'est pas digne d'une salle de concert. Ce n'est que de la musique d'ambiance, dit-elle prise d'un brusque accès de colère.

— Alors vous n'êtes pas une vraie musicienne ?

— Mais si ! C'est pour gagner ma vie que je joue ici, monsieur Dufresne.

— Appelez-moi Henri, je vous en prie. A quelle heure finissez-vous ?

— Très tard. Minuit et demi, répondit-elle sachant par expérience ce qu'il avait en tête.

— A cette heure-là, il y a certainement d'autres endroits encore ouverts. Et demain, c'est dimanche, fit-il remarquer l'air de rien.

— Je joue aussi de l'orgue le dimanche.

— Ici ?

— Non... ailleurs.

— Encore des secrets! s'exclama-t-il. Auriez-vous donc un mari?

— Dieu du ciel, non! Si vous tenez à le savoir, je joue dans une église.

— Quelle église?

— Oh! pas la cathédrale Saint-Paul. Une petite église de quartier. Son nom ne vous dirait rien.

— Dites-le-moi quand même. Je la trouverai. Je sais me débrouiller, vous savez. Je suis un oiseau de passage... un pigeon voyageur, pour être plus précis. Je vous dis tous mes secrets, moi.

— L'indiscrétion est un vilain défaut, Henri. Cette église n'a aucun intérêt touristique. En ne la voyant pas, vous ne raterez rien.

— Si, vous. Vous ne voulez pas me le dire?

— N'insistez pas, répondit-elle avec un coup d'œil sur sa montre.

— Je sais ce qui ne va pas. Vous mourez de faim. Laissez-moi vous emmener dîner.

— Je ne sors jamais avec les clients. C'est le règlement de la maison. Il faut que j'y aille maintenant.

— Vous avez le droit de vous asseoir avec un client dans le restaurant mais pas ailleurs, c'est ça? Quel règlement bizarre!

— C'est comme ça... Je dois jouer encore, ce soir. Merci pour le vin. Il était excellent.

— Merci pour votre charmante compagnie, répliqua-t-il.

Il se leva en même temps qu'elle et s'inclina avec courtoisie. A nouveau sur scène, Laura s'efforça d'éviter son regard dont la hardiesse la mettait mal à l'aise. Et puis il posait trop de questions, il était trop empressé. Il était beau, il avait un charme fou et de l'humour, mais elle sentait que l'intérêt qu'il lui portait était seulement sexuel.

A la fin de sa dernière demi-heure, elle salua et

courut à la cuisine. Elle mangerait un peu de langouste s'il en restait puis rentrerait chez elle.

— Qu'est-ce que vous avez à m'offrir, Chester ? demanda-t-elle au chef cuisinier.

— Un vrai dîner, Laura. Des escargots, de la langouste grillée, des pommes de terre vapeur et une salade composée. Qu'en dites-vous ?

— Mais c'est un festin ! Et ça a l'air succulent... Est-ce qu'un client s'est décommandé ?

— Non, il est encore là, il vous attend. Un bel homme, ma foi. Un Français. Il a demandé au serveur ce que vous aimiez et l'a commandé pour vous.

— Henri Dufresne ? Décidément, il exagère ! s'écria-t-elle, contrariée.

— Les serveuses le trouvent pourtant sacrément séduisant.

— Mais je ne lui ai jamais promis de dîner avec lui !

— Ne refusez pas. Vous savez ce que coûte ce repas... Il a aussi commandé du champagne, et pas n'importe lequel !

— Il y va fort ! Chester, si j'accepte, il ne me laissera pas rentrer seule chez moi... J'en ai bien peur.

— Si vous voulez, je vous raccompagnerai en voiture mais vous ne pouvez refuser un si bon dîner. Ça lui donnera une petite leçon à ce monsieur, voilà tout !

Ayant réfléchi un instant, Laura se dit que Chester avait raison.

— Bon, dit-elle. Serez-vous prêt à partir dans une heure environ ?

— Je vous attendrai, assura-t-il avec un sourire de conspirateur. Bon appétit !

Certaine qu'après cela elle ne verrait plus jamais Henri Dufresne, Laura alla le rejoindre.

— Vous exagérez, protesta-t-elle. Je vous ai dit que je ne pouvais pas dîner avec vous.

— Ah... pardon ! Vous m'avez prévenu que vous ne pouviez dîner avec moi hors de cet établissement. J'en ai déduit que je devais vous inviter ici...

— Mais c'est un piège !

— Peut-être mais plutôt agréable, non ? déclarat-il tandis que le serveur posait devant Laura le plat d'escargots.

Chester les préparait au champagne avec du beurre et de l'ail et c'était une des spécialités qui faisaient l'orgueil des *Caves de France*.

— Très agréable, reconnut-elle.

— J'ai commandé du champagne. Du Dom Pérignon. Je doute malheureusement que ce soit un bon millésime... En 1954, les vignes ont été attaquées par le mildiou.

Il le goûta sans formuler aucune critique et renvoya le serveur d'un signe de la main.

— Je vais le servir moi-même. Vous voyez, il faut servir le champagne à la bonne hauteur pour que la mousse reste à la surface. Je ne suis pas difficile mais il y a quand même certaines règles à respecter.

— J'ai en effet remarqué que ce n'était pas votre genre de vous plaindre, dit Laura avec un petit sourire moqueur.

— Est-ce que vous me faites marcher ? Très bien. J'adore les femmes qui ont de l'humour. Les Anglaises en sont généralement totalement dépourvues mais, encore une fois, je ne me plains pas, c'est une simple constatation...

— Bien entendu. Et que pensez-vous de la forme de nos verres ? Ne me dites pas qu'elle vous convient !

— C'est vrai. Pour apprécier vraiment le bouquet du champagne, il faut le boire dans un verre rond et fin. C'est Hollywood qui a mis à la mode ces coupes évasées. De plus, le champagne doit être servi à sept degrés, et non glacé comme cet idiot de sommelier semble le croire. Mais je ne me plains pas ! ajouta-t-il vivement en éclatant de rire.

Il faisait beaucoup de gestes en parlant. Sa bonne humeur, son accent, tout en lui amusait Laura. Résolue à savourer ce délicieux repas, elle s'abandonna au plaisir d'être une simple cliente des *Caves de France*.

— Je propose un toast. Non, ne levez pas encore votre verre. A la plus jolie organiste que j'aie jamais rencontrée ! Mais je vous préviens, mademoiselle, avant que cette bouteille ne soit vide, je vous aurai extorqué tous vos secrets... Maintenant, vous pouvez boire.

— J'ai l'impression d'avaler de la poudre à canon ! s'écria-t-elle dès qu'elle eut bu une gorgée.

— On a dit que boire du champagne, c'était boire des étoiles. Bien que moins poétique, votre comparaison est beaucoup plus évocatrice. C'est la première fois que vous en buvez ?

— J'en ai bu le jour où mon frère a fêté son diplôme mais il n'était pas aussi bon. A cause des verres, sans doute... et d'Hollywood. Le Dom Pérignon est le meilleur des champagnes ?

— Certains le pensent. Mais tout dépend du millésime. Les années impaires sont très recherchées. C'est une sorte de superstition. Mais 1962 et 1966 ont constitué des exceptions, et 1951 a été un vrai désastre. Quel est le millésime de mademoiselle, si j'ose m'exprimer ainsi ?

— Une année paire, malheureusement. L'année exacte est évidemment un mystère connu des services secrets seulement !

— Vous n'avez tout de même pas l'âge de mentir sur votre date de naissance ! Vous rougissez ? Comme

35

je suis un gentleman, je vais changer de sujet. Je suis moi-même très amateur du champagne Veuve Clicquot, ou peut-être est-ce simplement son histoire qui me plaît ? Je suis si romantique ! On dit qu'il a été créé par une veuve du nom de Clicquot obligée de travailler pour faire vivre sa famille après la mort de son mari.

Il se lança alors dans un historique du champagne. Il évoqua la région de France où on le produisait et critiqua violemment les mauvaises imitations qui osaient en usurper le nom. Pendant ce temps, ils vidaient leur bouteille.

— Encore un verre. Le bon champagne ne donne jamais la gueule de bois...

— Voilà une maladie que j'ignore ! répondit-elle.

— Comment ! Depuis le temps que vous travaillez ici, pas une seule fois vous n'avez bu un peu trop ?

— Je ne travaille que depuis trois mois, vous savez... Mais mon petit doigt me dit que dès demain matin je saurai ce qu'est la gueule de bois !

— N'ayez aucune crainte. Le champagne n'a pas les mêmes effets que le cognac, je peux en témoigner... En France, on tolère deux faiblesses chez un gentleman : le cognac et, s'il est marié, les maîtresses.

— Vous êtes marié ? demanda-t-elle en découvrant avec étonnement que cette éventualité ne l'avait pas effleurée.

— Moi ? Non. Regardez ma main gauche. Je n'ai pas d'alliance.

— C'est vrai, mais ça ne prouve rien. Les hommes mariés ne portent pas tous une alliance.

— Autant que je sache, aucun célibataire n'en porte. Cette conversation devient bien ennuyeuse. Moi qui vous avais promis d'être amusant ! Je vais me rattraper pendant que vous mangez cette langouste.

— Ce champagne se boit vraiment très facilement... dit-elle, surprise de voir son verre à nouveau vide.

— Oui. Cela prouve qu'il est excellent, vous savez. Ce sont les vinaigres qui râpent la gorge. Saviez-vous que le mot vinaigre signifie vin aigre ?

— Je n'y avais jamais songé. Décidément, je m'instruis.

— Quelles langues parlez-vous à part l'anglais ?

— Je me débrouille en français et en italien.

— Vous connaissez l'Italie ?

— J'y ai fait un très agréable voyage il y a quelques années.

— Dans un voyage, l'important ce sont les gens qui sont avec vous. Vous deviez être en très bonne compagnie...

— J'étais avec mon frère.

— Vous adoreriez la France... qui vous le rendrait. J'en suis certain. Quand venez-vous me rendre visite ?

— Je crois qu'il ne faut pas rêver...

— Et pour mon film, c'est toujours non ? Notre vedette sera bien payée...

— Combien ? demanda-t-elle par curiosité ou peut-être parce que le champagne lui montait à la tête.

— Tout dépend de l'actrice, déclara-t-il avec un regard lourd de sens.

— Oh ! Je suis sûre que vous n'engagerez pas n'importe qui.

— C'est juste. Vous restez remarquablement perspicace pour quelqu'un qui n'a pas l'habitude de boire... Notre vedette recevra assez d'argent pour s'offrir un luxueux appartement, de beaux vêtements, quelques bijoux, une voiture...

Laura fut aussitôt assaillie de soupçons. Toutes ces choses évoquaient pour elle les cadeaux qu'un homme offre à une maîtresse, et le regard ironique d'Henri Dufresne lui confirma qu'il l'avait fait exprès.

— Ça vous intéresse ?

— De moins en moins. Je ne suis pas actrice.

— Vous vous sous-estimez. Je vous trouve au contraire très bonne comédienne... Cette langouste est bonne ? ajouta-t-il avant qu'elle ait eu le temps de réagir.

— Délicieuse.

— La cuisine française vous plairait. Les sauces, en particulier, sont inimitables.

— J'ai beaucoup aimé la cuisine italienne.

— Oh, elle n'est pas assez fine pour le palais délicat d'un Français. Mais dites-moi... que fait une organiste anglaise, le dimanche, à la sortie de l'église ? demanda-t-il après avoir versé dans le verre de Laura la dernière goutte de champagne.

— Eh bien, d'habitude, je déjeune en famille.

— Et l'après-midi ? J'ai loué une voiture. Je serais très heureux que vous acceptiez de me servir de guide.

Laura secoua la tête en soupirant.

— J'ai seulement accepté de prendre un verre avec vous, Henri. Vous m'avez déjà obligée à dîner avec vous et j'avoue que j'ai apprécié votre compagnie. Maintenant, nous ne nous reverrons plus.

Il se rembrunit et la regarda dans les yeux.

— Pourquoi, Laura ? Il est tellement rare de rencontrer... quelqu'un comme vous.

— Le monde est plein de femmes comme moi.

— Ah bon ? J'aimerais bien savoir où elles se cachent. Ce doit être une conspiration contre Henri Dufresne. Va-t-il falloir que je prolonge indéfiniment ma visite en Angleterre ? Je veux vous revoir, Laura... Avril est si beau à Paris.

— Si c'est une invitation à Paris, ma réponse est non. Pas non merci... non tout court.

— Je parlais de mon film ! Vous me prêtez sans cesse des arrière-pensées que je n'ai pas.

— Je suis navrée de vous comprendre si mal.

— Votre méfiance est toute naturelle. Quand on travaille dans un endroit comme celui-ci, mieux vaut être sur ses gardes. Alors, vous acceptez pour demain ?

— Impossible. Je suis occupée.

— Alors je reviendrai aux *Caves de France* tous les soirs jusqu'à ce que vous cédiez.

— Ce serait un gaspillage inutile de temps et d'argent.

— L'argent n'est pas ce qui m'arrête. J'en ai beaucoup.

— Mais je ne travaille pas ici tous les soirs, vous savez.

— Du mercredi au samedi, n'est-ce pas ?

— Comment le savez-vous ?

— C'est écrit à l'entrée. Du mercredi au samedi, ambiance musicale avec la ravissante Laura à l'orgue... C'est encore bien mieux quand Laura est à table avec vous. Je tiens à vous remercier pour cette merveilleuse soirée. Je regrette simplement de n'avoir pu apprendre tous vos secrets.

Il lui prit la main. Ses yeux brillaient comme deux diamants noirs à la lueur des bougies.

— Laissez-moi vous raccompagner chez vous. Je vous en prie, personne ne saura que vous désobéissez au règlement.

— N'insistez pas, fit-elle d'une voix douce.

Il était tellement persuasif qu'elle se sentait tout près de succomber à la tentation. Des émotions troublantes tourbillonnaient en elle et le champagne n'était pas le seul responsable. Ce Français avait un tel charme... Elle contempla ses lèvres sensuelles d'un air rêveur. Ce devait être si agréable, si excitant d'être embrassée par lui...

Tout à coup, elle se ressaisit et se leva.

— Excusez-moi. Henri. Je... Je reviens.

Elle courut à la cuisine.

— Ramenez-moi à la maison, Chester, dit-elle au chef.

— Je suis prêt. Mon petit dîner vous a plu ?

— Il était exquis. Je ne suis pas près de l'oublier !

— Le Français non plus, quand il verra que l'oiseau s'est envolé en lui laissant sur les bras une note astronomique !

— Une note de combien ? demanda-t-elle, saisie de remords.

Quand Chester lui en donna le montant, elle se dit que c'était un tour trop affreux à jouer à un étranger. Elle ne voulait pas qu'il retourne en France en maudissant l'Angleterre et les Anglais.

— Je vais payer moi-même mon repas, décida-t-elle.

— Ne soyez pas stupide ! s'indigna Chester.

— Je ne suis pas stupide. Il a été vraiment très gentil. Je ne peux pas lui faire ça.

Ses pourboires de la soirée suffirent à régler la note. Comme tous les samedis elle reçut son chèque ainsi que la bouteille de vin que Jerry donnait aux membres de son personnel chaque semaine, dans l'espoir de prévenir toute demande d'augmentation.

Sa bouteille sous le bras, Laura sortit par la porte de derrière et s'engouffra dans la voiture de Chester. Elle songea qu'elle venait peut-être de rater une occasion unique de faire du cinéma. Mais les propositions de cet homme étaient si ambiguës... Henri Dufresne n'appartenait-il pas à un milieu où, entre autres rôles, une actrice devait tenir celui de maîtresse ? Elle avait tout de même passé une excellente soirée. Ruineuse mais passionnante. Excitante...

Chapitre trois

Le dimanche matin, Laura n'avait pas la gueule de bois. Elle se réveilla très tard et eut juste le temps de se préparer pour aller jouer à Saint-Peter. C'était une journée radieuse. Tout en sirotant son café, elle lut dans le journal que Hans Grebel, le célèbre organiste autrichien, donnait un concert de musique sacrée à l'église Saint-George dans l'après-midi. L'entrée était gratuite.

Après l'office religieux, elle alla comme chaque dimanche déjeuner chez son frère Francis et sa femme à qui elle annonça qu'elle ne reviendrait pas pour dîner.

— Après le concert, je rentrerai directement chez moi.

— Comme tu voudras, Laura. Mavis et moi emmenons le bébé au parc. Il fait trop beau pour rester enfermé, répondit Francis.

— C'est vrai mais ce concert est une occasion unique. Je ne peux pas le rater. Je vous téléphonerai dans la semaine.

Elle se rendit à Saint-George en autobus. En ce beau dimanche de printemps, le public était plutôt clairsemé. Elle reconnut des camarades de l'Académie et alla les rejoindre. Le reste de l'assemblée se composait pour la plupart de personnes âgées attirées davantage par la tranquillité de l'endroit que par la musique. Quelques-unes somnolaient

42

sur leur banc lorsque Grebel attaqua brillamment l'*Ave Maria* de Gounod, œuvre inspirée du *Prélude en ut majeur* de Bach. Laura se laissa emporter par ces majestueux accords.

Le Français Gounod avait puisé son *Ave Maria* dans l'œuvre de l'Allemand Bach. Et voilà que, bien des années après, un auditoire anglais en appréciait la beauté grâce à un organiste autrichien... La musique était un langage international qui unissait les peuples et abolissait les frontières, même si l'orgue ne jouissait plus de la même popularité qu'autrefois.

Devant l'usage merveilleux que faisait Hans Grebel de cet instrument sacré, Laura éprouva un léger sentiment de culpabilité. N'avait-elle pas tort de gaspiller son talent dans un restaurant minable ? Mais il fallait bien gagner sa vie. Un peu de patience et, un jour, elle jouerait aussi bien que Grebel.

Oh, la vie ne serait pas facile. Hans, par exemple, l'un des meilleurs organistes du monde, jouait aujourd'hui pour une petite poignée de mélomanes dont au moins la moitié somnolait ! Elle ne serait jamais riche. Peut-être même ne pourrait-elle pas vivre de sa musique et serait-elle obligée d'enseigner pour arriver à joindre les deux bouts.

Lorsque le dernier accord retentit, salué par de timides applaudissements, Laura se leva et gagna la sortie avec ses amies.

— Je monte féliciter Hans Grebel, déclara l'une des étudiantes. Ça lui fera peut-être plaisir de savoir qu'il ne jouait pas devant un public de sourds ! Il n'y a pas grand-monde...

— Vous avez vu ce type, là-bas ? demanda soudain une amie de Laura en désignant de la tête le fond de l'église. Plutôt beau gosse, non ?

Laura suivit son regard. Pas d'erreur possible :

cette élégante silhouette était celle d'Henri Dufresne. Son cœur bondit de joie dans sa poitrine et, aussitôt, elle se souvint du mauvais tour qu'elle lui avait joué la veille. Elle n'eut plus alors qu'une envie : s'enfuir à toutes jambes. Mais c'était impossible. Il l'avait déjà repérée.

— Tu le connais ? demanda son amie, ébahie.

— Oui... un peu.

— Tu en as de la chance !

— Je me demandais si c'était bien vous, murmura-t-il avant de tourner la tête vers ses amies.

Trop abasourdie par sa présence, Laura oublia de faire les présentations et les jeunes filles s'éloignèrent.

— C'était bien moi, articula-t-elle avec peine.

Il lui avait apparemment pardonné son attitude de la veille.

— Vous êtes si différente ! dit-il avec un grand sourire.

— Que voulez-vous dire ? Ah oui ! Sans mon déguisement de scène... Vous ne croyez tout de même pas que je tiens l'orgue d'une église en robe du soir avec un kilo de fard sur le visage et une bague à chaque doigt !

— Non, bien sûr... Vous avez l'air si... si jeune.

— Je ne suis pas encore centenaire, vous savez ! Quel âge me donniez-vous ?

— Environ la trentaine.

Elle sourit à l'idée de lui être apparue aussi mûre et sophistiquée.

— On dirait que cela vous flatte ! s'exclama-t-il. Vous devez être vraiment très jeune.

— L'âge n'a aucune importance...

— Vous ne voulez pas me dire le vôtre ?

A la lumière du soleil, la jeunesse de Laura était encore plus évidente. Son tailleur simple et bien coupé mettait en valeur la finesse de sa silhouette.

44

— Je suis en âge de voter !

— Tout juste, à mon avis.

— Par quel heureux hasard vous trouvez-vous ici ? demanda-t-elle avec un regard soupçonneux.

— J'avoue que notre rencontre ne doit rien au hasard. J'ai visité quantité d'églises ce matin... sans vous trouver. Alors, je me suis dit que vous m'aviez menti. A dire vrai, j'imaginais mal la ravissante Laura en train de jouer de la musique religieuse ! Mais je vous ai donné une dernière chance en lisant dans le journal que Hans Grebel donnait un concert. J'ai pensé qu'une véritable organiste s'y précipiterait. J'ai eu du mal à vous reconnaître. Vous avez l'air d'une étudiante sérieuse, ici... Qu'avez-vous pensé de l'*Ave Maria* de Gounod ? Intéressant, n'est-ce pas, qu'un compositeur français ait été choisi pour ouvrir le concert d'un Autrichien en Angleterre ?

Ainsi, Henri Dufresne avait eu la même pensée qu'elle...

— Intéressant aussi que Gounod se soit inspiré de Bach pour composer son œuvre. Les Français manquent-ils toujours autant d'imagination ? répliqua-t-elle gentiment.

Il se mit alors à la mitrailler de questions sur la musique et elle eut l'impression étrange de passer un examen et... de le réussir. Il était visiblement étonné par ses connaissances.

— Je suis reçue ? demanda-t-elle enfin.

— Je vous en prie, pardonnez-moi. Quand j'ai la chance de rencontrer un spécialiste dans un domaine précis, j'ai la mauvaise habitude de poser des questions. Par simple curiosité. Vous êtes très forte en musique. Vous me pardonnez ?

— A condition que vous me pardonniez pour hier soir.

— J'ai pris au contraire votre départ pour un

grand compliment. J'ai été très flatté que vous me trouviez si dangereux !

— Ce n'est pas du tout ça !

— Ah bon ? Ça vous arrive souvent de vous enfuir en courant quand un homme parfaitement inoffensif vous invite à dîner tout simplement parce qu'il vous trouve belle ?

— Non. Il faut dire que les hommes aussi galants que vous ne courent pas les rues, Henri, dit-elle. De quel côté allez-vous ?

— Où que vous alliez, je vous suivrai.

— Je suis contente si vous ne m'en voulez vraiment pas pour hier soir...

— Je vous en veux seulement d'avoir payé votre dîner. Mais je parviendrai peut-être à vous pardonner si, ce soir, vous me laissez vous inviter dans le restaurant le plus cher de Londres ?

Laura réfléchit un moment. Sa soirée était libre et il faisait si beau... En outre, Henri lui paraissait bien moins dangereux devant une église, au grand jour, que dans la pénombre des *Caves de France*.

— Vous n'avez rien d'autre à faire ?

— Je ne connais personne à Londres.

— Et vos relations d'affaires, les gens avec qui vous préparez le film ?

— Ah ! mais ce sont des hommes ! Et des Anglais, en plus. De vrais raseurs ! L'un d'eux est affublé d'une sœur qui ressemble à un cheval, avec ses grandes dents carrées. Elle m'avait invité à prendre le thé cet après-midi. J'ai poliment refusé.

— Vous préfériez venir écouter Hans Grebel ?

— Oui. Enfin... Je vous cherchais. Passerez-vous la soirée avec moi ? demanda-t-il, soudain sérieux.

— J'en serai très heureuse, répondit-elle sans hésiter.

Quelque chose l'intriguait chez cet homme, quelque chose qui lui faisait oublier toute prudence.

— Voici ma voiture. Oui, je sais, elle est garée en stationnement interdit. Si on me fait des ennuis, je me mets à parler français. On me laisse toujours partir !

— Très astucieux !

— Merci. Un homme sans astuce est comme un jour sans soleil : triste. Vous voulez passer chez votre frère ? Je crois que vous avez l'habitude de le voir, le dimanche ?

— J'ai déjeuné chez lui. Où voulez-vous aller ?

— Cette belle journée pousse au romantisme... Il nous faut des fleurs, des arbres, des oiseaux. Nous pourrions nous promener main dans la main dans un parc ?

— Pourquoi pas ? Le printemps est la saison des amoureux. Vous connaissez Kew Gardens ?

— Non. Il y a des arbres et des fleurs ?

— C'est un jardin botanique unique au monde.

— Par où y va-t-on ?

— Je vous indiquerai la route.

Il lui ouvrit la portière de son luxueux cabriolet de sport gris métallisé.

— J'ignorais qu'on pouvait louer ce genre de voiture ! s'exclama-t-elle. Elle est superbe.

— Louer ?

— Vous m'avez bien dit que vous aviez loué une voiture, hier soir ?

— C'est mon associé qui me l'a trouvée. Elle appartient peut-être à un ami. Celle que j'ai à Paris vous étonnerait encore plus. Les Italiens fabriquent des voitures formidables. J'ai une Ferrari.

Elle s'installa sur le siège de cuir.

— Vous n'aimez pas les Ferrari ? demanda-t-il, visiblement déçu du peu de réaction de Laura.

— Je ne sais même pas comment c'est fait ! Je n'y connais rien en voitures.

— Les Ferrari coûtent très cher.

— Vous êtes un horrible vantard ! s'écria-t-elle en riant. Vous parlez comme un nouveau riche !

— Un nouveau riche ? J'appartiens à une des plus anciennes familles de France !

— Dans ce cas, vous devriez être habitué à être riche, depuis le temps !

— Les Anglaises sont décidément très impertinentes, constata-t-il en démarrant.

Quand ils arrivèrent aux abords de Kew Gardens, il s'écria :

— Ce n'est pas un jardin, mais une véritable ville !

— Oui, il y a même un observatoire et un terrain de golf.

Ils parcoururent les diverses parties du jardin, admirant des plantes rares du monde entier.

— Il y a aussi quelques bâtiments intéressants à visiter, suggéra Laura.

— Non, restons dehors, répondit-il d'un ton péremptoire. A mon avis, rien ne vaut Versailles et le Trianon.

— Nous aurions mieux fait de nous munir d'un plan. Ce parc s'étend sur plusieurs hectares.

— Suivez-moi sans crainte. Mon sens de l'orientation est infaillible !

Le beau temps avait attiré un grand nombre de visiteurs mais Laura et Henri, absorbés par les merveilles qu'ils voyaient, ne prêtaient guère attention à la foule. A un moment, il glissa doucement sa main sous son bras et elle se laissa faire.

— Regardez cet acacia ! s'exclama-t-elle. Il a presque deux cents ans !

— Venez, je crois avoir aperçu des ruines par là-bas.

Elle savait qu'il existait des ruines antiques dans le parc mais elle n'aurait jamais cru qu'on pouvait les voir à cette distance. Ils furent bientôt devant le temple de Bellona et l'arc de triomphe.

— Une ruine a toujours quelque chose de romantique, dit Laura. Celles-ci ne sont pas d'époque, bien entendu. Elles datent du XVIIIe siècle... On les appelait des « folies ». De nos jours, il ne viendrait à l'idée de personne de construire une ruine !

— A un fou, peut-être, répondit-il.

— Ces ruines me font penser à l'Italie.

— C'est vrai. L'Italie est pleine de ruines magnifiques... Et en Grèce, c'est encore mieux.

— J'ai eu peur que vous ne disiez « pire ».

— Oh non ! Je suis bien trop français pour ça ! J'adore les ruines. Quand vous viendrez en France, je vous montrerai les vestiges de l'occupation romaine. Les aqueducs surtout. Ce sont de véritables merveilles architecturales.

— Je n'irai pas en France avec vous, vous savez.

— On peut toujours rêver. Mon pays vous plairait beaucoup.

— Je n'en doute pas.

— Dans ce cas, pourquoi ne pas venir ?

— C'est impossible en ce moment.

— Bah ! Laissez tout tomber, les leçons d'orgue, les *Caves de France*... La vie est courte, il faut en profiter.

— Il n'y a pas que ça, murmura-t-elle, pensant à ses cours à l'Académie.

— Il y a un homme dans votre vie ?

— Non.

— Personne ne cherche à vous sortir de là ? Un protecteur ?

— A vous entendre, on dirait que je suis une... une...

— Une femme légère, c'est ça ? acheva-t-il, impassible. Je suis désolé, je vous ai blessée. Ce n'était pas mon intention mais vous menez tout de même une vie très pénible. Vous devez rencontrer beaucoup d'hommes peu recommandables, n'est-ce pas ?

— Oui, mais il y en a aussi de très gentils.

— Un en particulier ? dit-il avec un regard étrangement intense.

— Je vous trouve très gentil, vous.

— Merci, mademoiselle, mais je ne pensais pas à moi. Y en a-t-il par exemple un qui désire vous épouser ?

— Eh bien, oui...

— Vous allez accepter ?

— Non. Il est adorable mais beaucoup trop jeune. Dans quelques années, il fera un excellent mari, dit-elle avec un sourire attendri au souvenir de Sean et de sa maladresse.

— Dans quelques années, il ne sera sans doute pas aussi pressé de se mettre la corde au cou !

— Quel cynisme, Henri ! Je suis convaincue que Sean est vraiment le genre d'homme à se marier, déclara-t-elle avec un hochement de tête pensif.

— Sean ? répéta-t-il.

— C'est son nom.

— Et il est tombé amoureux fou de la « ravissante Laura » ? demanda-t-il d'un ton à la fois ironique et taquin.

— Du moins en est-il persuadé.

Le sourire moqueur d'Henri disparut subitement et il lui serra le bras d'un air furieux.

— Non ! Sean ne vous épousera pas ! déclara-t-il.

Que signifiait cet inexplicable accès de colère ? Déjà, il s'était radouci.

— Vous ne seriez pas heureuse avec un trop jeune homme, reprit-il avec douceur. Vous êtes une femme. Ce qu'il vous faut, c'est un homme, un vrai !

L'intensité de son regard montrait clairement

que celui auquel il pensait n'était autre que lui-même.

Il tenait toujours le bras de Laura à lui faire mal et, lorsqu'il le lâcha, ce fut pour la serrer contre lui. Trop surprise pour réagir, elle vit son visage se rapprocher du sien. Un visage déformé par la colère. Bizarre, pour un homme qui venait, même indirectement, de lui parler d'amour... Il l'immobilisa dans ses bras durs comme de l'acier et s'empara avidement de ses lèvres. Elle perdit pied tout de suite. Tout ce qui les entourait disparut. La colère d'Henri donnait à ce baiser une brutalité, une impatience qui la prenaient au dépourvu et elle sentait seulement son cœur tambouriner violemment dans sa poitrine. Et, peu à peu, ce baiser devint tendre.

Les lèvres d'Henri se firent douces contre les siennes. Il se mit à lui caresser lentement le dos. Bouleversée par cette étreinte délicieuse qui éveillait en elle des sensations inconnues, elle comprit qu'un feu nouveau les embrasait tous deux. Hors d'haleine, elle chercha à se dégager, à le repousser. En vain. Il s'accrochait à ses lèvres comme si sa vie en dépendait.

Enfin, il releva la tête et plongea ses yeux dans les siens. Elle eut presque l'impression de se voir dans un miroir tant il y avait de surprise émerveillée dans son regard et, à cet instant, il lui parut étrangement vulnérable.

— Est-ce que Sean vous embrasse comme ça ? demanda-t-il d'une voix dure en la relâchant brusquement.

— Il ne m'a jamais embrassée, avoua-t-elle d'une toute petite voix.

— Ma douce Laura, laissez-moi vous emmener loin d'ici. Je suis riche. Venez à Paris avec moi.

— Je ne peux pas. Vous êtes fou... Je vous en prie, n'en parlons plus, Henri.

— Vous m'en voulez ? C'est ça ?

— Mais à quoi vous attendiez-vous donc ? Vous me proposez d'être votre maîtresse, et il faudrait que je sois flattée ? Le mot mariage ne fait sûrement pas partie de votre vocabulaire !

— Il fait partie de celui de Sean ?

— Il me demande en mariage chaque fois que je le vois.

— Et c'est le mariage que vous voulez ?

— Bien sûr ! Ce n'est pas parce que je joue de l'orgue dans un club que je suis une fille facile ! Pourquoi me regardez-vous ainsi ? Vous ne me croyez pas ?

— J'aimerais bien ne pas vous croire, figurez-vous, murmura-t-il.

Son expression s'était considérablement radoucie.

— Pourquoi ? Je ne comprends pas... Décidément, Henri, votre cynisme est sans limites. Ce doit être le sang français qui coule dans vos veines... Partons. J'entends des gens arriver.

— Oui. Tous ces arbres commencent à me fatiguer. Il est temps que nous buvions quelque chose.

— J'aimerais une bonne tasse de thé.

— Du thé ? Je pensais à du champagne, moi.

— Vous n'êtes vraiment pas raisonnable.

— Je suis riche, tout simplement !

— Un de ces jours, je crois bien que c'est vous qui ferez construire une folie comme celles-ci !

— Je me demande si je ne suis pas déjà en train d'en faire une... répondit-il comme s'il se parlait à lui-même.

— Que voulez-vous dire ? demanda-t-elle, déconcertée par son expression soucieuse.

— Certaines choses sont difficiles à expliquer...
Vous êtes sûre de préférer du thé ?

— Oui. Il faut vous adapter aux habitudes
anglaises, vous savez. Venez, je vois un salon de thé
là-bas.

— Je capitule ! Laura aura son thé et même un
de ces indigestes gâteaux anglais si elle le veut.
Quant à moi, je feindrai de trouver délicieuse cette
horrible eau chaude !

— Quelle magnanimité !

— Je sais.

Ils s'installèrent à une table devant une fenêtre
qui donnait sur un jardin rempli de fleurs.

— Je ne vous autorise qu'un seul gâteau. Vous
devez garder de l'appétit pour ce soir, dit-il grave-
ment. Avez-vous un restaurant à proposer ?

— Il y en a tellement...

— Celui de mon hôtel est correct. Vous connaissez le Ritz ?

— Seulement la façade ! C'est un hôtel très
luxueux. Vous devez être riche comme Crésus !

— Maintenant que vous en êtes convaincue, je ne
comprends pas pourquoi vous ne vous montrez pas
plus gentille avec moi. Quelle drôle de femme vous
êtes ! Vamp le soir, écolière le jour... et aucune des
deux n'aime Henri Dufresne.

— Détrompez-vous. Je vous aime beaucoup. Ce
qui me déplaît, c'est votre insistance à vouloir
m'emmener à Paris.

— Et aussi l'idée de jouer dans mon film. Votre
refus me dépasse, ravissante Laura !

— Cessez de m'appeler ainsi ! Je ne suis pas la
ravissante Laura, je suis Laura Talmadge.

— Talmadge ? Hier soir, vous étiez Laura
Jones...

— Oh ! je ne voulais pas vous le dire. C'est que...
je ne donne jamais ma véritable identité aux

53

clients, au cas où l'un d'eux voudrait me téléphoner ou venir chez moi. C'est aussi simple que ça.

— Je suppose que votre ami Sean connaît votre nom ?

— Non. Vous êtes le premier à qui je le révèle.

— Pourquoi moi ?

— Je ne l'ai pas fait exprès. Ça m'a échappé. Peu importe, après tout, puisque vous ne vivez pas à Londres. A propos, quand rentrez-vous à Paris ?

— Bientôt.

— Quand ? insista-t-elle en s'efforçant de dissimuler sa déception.

— Dès que je vous aurai convaincue de m'accompagner, répliqua-t-il d'un ton léger. Où habitez-vous, Laura ?

— Je ne vous en dirai pas plus.

— Je n'ai qu'à regarder dans l'annuaire.

— Il y a des centaines de Talmadge à Londres.

— De Laura Talmadge aussi ?

— Ah non... Je n'y suis pas.

— Pourquoi ?

— Pour éviter que des personnes trop entreprenantes, ayant découvert par hasard mon nom, ne m'importunent au téléphone !

— Dans ce cas, je continuerai à vous importuner au club. Finissez votre thé. Nous partons.

— Déjà ?

— Oui. Finalement, nous ne dînerons pas à Londres. Un ami m'a conseillé un bon restaurant aux environs. Le *Coq rouge*. On y va ?

— Allons-y !

Rouler dans la campagne dans une confortable voiture de sport était un vrai plaisir. Laura regardait le paysage défiler par la vitre ouverte.

— Quel est le titre de votre film, Henri ?

— *En attendant Maria*, répondit-il après une courte pause. C'est un titre provisoire.

— A votre place, j'en trouverais un autre.

— J'écoute vos propositions.

— De quoi parle ce film ?

— D'amour. Une jeune fille qui s'ennuie dans son village de province décide d'aller à Paris puis elle part pour l'Angleterre où il lui arrive toutes sortes d'aventures.

— Hier soir, vous disiez que c'était une Anglaise ou ai-je mal compris ?

— Je l'ai dit... dans l'espoir que vous accepteriez plus facilement le rôle.

— Et le suspense, dans tout ça ?

— Quel suspense ?

— Vous avez parlé d'amour et de suspense. J'ai cru qu'il s'agissait d'un film d'espionnage, ou policier...

— Non, non, le suspense est dans l'intrigue amoureuse.

Elle était pourtant prête à jurer qu'il avait suggéré tout autre chose. Décidément, il semblait n'avoir qu'une très vague idée de son film... Etait-il en train de tout inventer ?

— Il y a une scène où l'héroïne se trouve face à un assassin. Peut-être vous en ai-je parlé ?

Jamais il n'avait parlé d'assassin... Laura eut soudain la certitude qu'il mentait.

— Alors, vous avez une idée de titre ?

— Que diriez-vous de *Maria imaginaire* ? Un titre inspiré du *Malade imaginaire* de Molière...

— Vous croyez que j'ai inventé le film pour me rendre intéressant, n'est-ce pas ? demanda-t-il brusquement.

— En effet. C'est un truc vieux comme le monde, si vieux que je pensais que les hommes avaient cessé de l'utiliser ! Comme le coup de la panne d'essence...

— Qui est cynique maintenant ? Vous avez raison. Le film n'existe pas, mais je serais ravi d'en produire un rien que pour vous faire plaisir.

— Que faites-vous alors si vous n'êtes pas producteur ?

— Je suis producteur... mais de viande de bœuf, pas de films. J'ai aussi...

— Vous ne vivez pas à Paris dans ce cas ? A moins, bien sûr, que vous ne fassiez paître vos troupeaux sur les Champs-Elysées...

— Laissez-moi continuer. J'ai un appartement à Paris mais ma maison de famille est située dans la vallée de la Moselle, pays de bon vin et d'élevage. Je possède vraiment un vignoble.

Y avait-il un seul mot de vrai dans toute cette histoire ? Elle surprit une expression inquiète sur son visage, comme s'il voulait en dire plus, ou peut-être s'excuser...

— Vous m'en voulez ? dit-il simplement.

— Non. Je suis déçue, c'est tout.

Elle regretta aussitôt ses paroles. Qu'est-ce que cela pouvait bien lui faire, après tout ?

— J'ai été stupide de vous mentir, reprit-il en lui prenant la main. Je tenais beaucoup à ce que vous m'aimiez... C'est idiot.

Elle décela dans ses yeux sombres et brillants un mélange d'émotions impossible à déchiffrer.

— Vous vous êtes fatigué pour rien, Henri. La célébrité et la richesse ne m'impressionnent pas. Sinon, il y a longtemps que j'aurais abandonné mon métier d'organiste !

— Les riches ne sont pas tous pareils, Laura, dit-il doucement.

Cette remarque sonnait de façon étrange dans sa bouche, mais Laura sentit que, cette fois, il était sincère.

— Je sais, fit-elle.

La journée avait un peu perdu de son charme. Le

Coq rouge était une petite auberge de campagne où la cuisine était plutôt bonne et le service négligé.

— Je n'aurais pas dû croire mon ami, déclara Henri. Il n'a aucun goût...

— Ne soyez pas si snob! On ne peut pas manger des escargots et de la langouste tous les jours. Je trouve ce coq au vin très bon.

— Il n'a pourtant aucune saveur. Et ce pain! On dirait du béton!

— Ah oui? Eh bien, vous avez de bonnes dents! Vous mâchez le béton avec une facilité...

— Un homme affamé mange n'importe quoi, répondit-il sans se démonter.

Il la questionna ensuite sur sa famille. Elle lui parla de la mort de ses parents, quelques années auparavant, de l'entrée de son frère dans les ordres et du mal qu'elle avait eu à poursuivre des études. Au souvenir de la mort de sa mère, elle essuya même furtivement une larme. Elle lui raconta tout, à l'exception du fait qu'elle était encore étudiante. Henri l'écouta avec un réel intérêt.

— Voilà qui ferait pleurer dans les chaumières! s'écria-t-il. Votre histoire mériterait d'être adaptée au cinéma. La pauvre orpheline obligée de se battre pour survivre, le frère pasteur... Avec quelques violons bien langoureux, ce serait parfait! Il ne reste plus qu'à trouver le méchant monsieur qui poursuivrait notre héroïne...

— Oui. Il pourrait être français, par exemple?

— Bonne idée! Il ne nous manque que la fin. Bien entendu, il faut que cette déchirante histoire s'achève en conte de fées.

— Elle pourrait rencontrer le prince charmant... non... un simple millionnaire conviendrait mieux à un public moderne.

— Que préférerait Laura?

— Un riche armateur grec, peut-être... c'est très

à la mode aujourd'hui, dit-elle d'un ton léger. Je pourrais me retirer sur une île grecque et construire des ruines...

— Vous ne me prenez pas au sérieux ! s'exclama-t-il.

— Mais si. Réflexion faite, je pencherais plutôt pour un cheik arabe... Ce sont les plus riches.

— Je vous comprends. Au prix où est l'essence, en plus... A propos, il va falloir que je fasse le plein de ma voiture, au retour.

Soudain, une expression inquiète assombrit à nouveau son visage. Quelque chose le tracassait, mais quoi ? Ce n'était tout de même pas le prix de l'essence ! Il devait faire le plein de sa voiture. *Sa* voiture... Qu'avait-il dit ? Qu'elle était louée, qu'on la lui avait prêtée... Laura fut, une fois de plus, saisie de soupçons. Et si cette voiture lui appartenait ? Il la maniait avec une dextérité remarquable. Et elle était immatriculée en Angleterre. Si c'était la sienne...

— Je vais régler la note. Je reviens.

Songeuse, elle le regarda s'éloigner. S'il vivait en Angleterre, pourquoi se prétendait-il français ? Pour se donner un charme supplémentaire ? De plus en plus persuadée qu'il n'avait d'autre but que de la séduire le temps d'un week-end, elle se sentait déroutée. Et malheureuse aussi. Elle appréciait la compagnie d'Henri Dufresne. Elle le trouvait même dangereusement attirant.

Pourtant, lorsqu'il reparut, il avait l'air si respectable qu'elle en fut rassurée. Il était très élégant, sûr de lui. Il parlait comme un homme qui a reçu une bonne éducation... Non, il n'avait décidément rien d'un employé de bureau en goguette.

Chapitre quatre

Henri s'arrêta à la première station-service ouverte. Pendant que le pompiste faisait le plein, il vérifia le niveau d'huile et la pression des pneus, ce qui ne fit que confirmer les soupçons de Laura. Se serait-il donné autant de mal pour une voiture louée ? Il avait posé son portefeuille sur le siège. Elle le fit discrètement glisser vers elle et, sans même le prendre en main, l'ouvrit. Comme il faisait trop sombre pour pouvoir lire, elle alluma la veilleuse de la boîte à gants. Et alors, elle vit le nom de Richard Bowden, écrit en toutes lettres ! Stupéfaite, elle parcourut rapidement les autres papiers. Il n'y avait plus aucun doute : son charmant compagnon français était le frère de Sean !

Laura comprenait sans peine la raison de cette mise en scène. Sean avait probablement annoncé à sa famille qu'il voulait l'épouser, peut-être au moment où les résultats de ses examens, désastreux, étaient arrivés à Hazelhurst. Croyant qu'elle était responsable de cet échec et la tenant pour une vulgaire fille de cabaret qui ne demandait pas mieux que d'épouser un riche héritier, on avait envoyé le frère aîné aux renseignements... Or son opinion était faite par avance : il la prenait pour une aventurière, pour une femme qui ne rêvait que d'être star de cinéma et, en tout cas, de tout planter là pour mener la belle vie à Paris avec un homme riche et beau. Pas étonnant qu'il ait cru l'impressionner avec sa Ferrari, ses vignobles et son argent ! Tout s'expliquait.

Quel que soit son véritable métier, il avait raté sa vocation d'acteur, se dit Laura. Il parlait français de manière très convaincante. Ses tentatives de séduction avaient toute l'ardeur requise... Passant en revue ses propres réactions, elle s'assura que tout dans son attitude avait dû lui prouver qu'elle n'avait rien d'une fille de cabaret. En outre, elle lui avait clairement dit que jamais elle n'épouserait Sean. Mais brusquement, elle comprit à quel point il s'était montré habile. Il avait réussi par ses questions à savoir pratiquement tout de sa vie.

Son premier réflexe fut de le confronter à la vérité sur-le-champ. Il était tranquillement en train d'essuyer sa jauge d'huile, bien loin de se douter de ce qui venait d'arriver. Mais si elle lui révélait sa découverte, il lui faudrait avouer qu'elle avait fouillé dans ses papiers. Et ça, il ne le lui pardonnerait jamais. Il pourrait même croire qu'elle avait essayé de lui voler de l'argent... Non, mieux valait poursuivre cette comédie. Rirait bien qui rirait le dernier ! Elle décida de lui laisser jouer son rôle jusqu'au bout. Elle était humiliée, cruellement blessée par ses mensonges. Il allait voir de quoi elle était capable !

— Tout va bien ? demanda-t-elle avec un grand sourire dès qu'il eut démarré.

— Oui. Nous allons prendre un dernier verre quelque part ?

Son accent français qu'elle avait trouvé si séduisant lui écorchait maintenant les oreilles.

— Vous ne pensez qu'à boire !

— C'est faux !

— Honte à vous, dans ce cas Ne m'avez-vous pas appris hier soir que le devoir de tout Français qui se respecte était de forcer sur le cognac et d'entretenir une maîtresse ?

— J'ai seulement parlé de privilège. Pas de devoir. Quant à entretenir une maîtresse, nous parlions des hommes mariés.

Et si justement il l'était, marié ? pensa-t-elle avec rage. Un mensonge de plus ou de moins... Sean parlait si rarement de sa famille qu'elle ne savait presque rien de son frère aîné, sinon qu'il exerçait sur Sean une grande autorité.

— Vous êtes célibataire, bien sûr, dit-elle.

— Oui. Jusqu'à aujourd'hui, aucune femme ne m'a donné envie de passer le reste de ma vie avec elle, déclara-t-il avec une chaleur étrange.

— Et vous dites ça à toutes les femmes, n'est-ce pas ? répliqua-t-elle, refusant de se laiser émouvoir par son évidente sincérité.

— Non, Laura. Je ne l'ai encore jamais dit à personne. Et je n'ai jamais demandé personne en mariage.

— Vous vous gardiez intact pour moi ? demanda-t-elle en riant.

— Pour une femme comme vous, oui, lui dit-il avec gravité. Vous n'êtes pas comme les autres, Laura.

— Vous me l'avez déjà dit. Je suis différente parce que je n'ai pas envie de faire du cinéma ? C'est ça ? Je me sens au contraire tout ce qu'il y a de plus simple. Je veux me marier et avoir des enfants... Peut-être finirai-je par épouser le jeune homme du club... murmura-t-elle pour le provoquer.

Elle tourna la tête pour observer la réaction de celui qui était Richard et pas Henri : son visage était curieusement figé.

— Sean ? demanda-t-il d'une voix dure.

— Oui, Sean Bowden. Il dit appartenir à une

excellente famille. J'ignore en quoi elle est excellente, d'ailleurs. La seule personne qu'il ait mentionnée est son frère aîné.

— Et qu'en dit-il?

— Oh, pas grand-chose. Il paraît qu'il est très autoritaire.

— L'opinion d'un jeune frère n'est pas toujours objective.

— Vous semblez parler en connaissance de cause. Vous en avez un?

— Oui. Je remplace un peu auprès de lui notre père qui est très âgé. J'estime de mon devoir de l'empêcher de faire des bêtises, des bêtises graves, j'entends. Il est normal que, parfois, il me le reproche... Vous pensez sérieusement à épouser Sean?

— J'y pense...

— Ce serait une énorme erreur.

— Vous voulez dire que sa famille ne m'accepterait pas?

— Peut-être, mais je ne pensais pas à cela. Vous êtes trop bien pour Sean. Pourquoi une femme comme vous s'encombrerait-elle d'un jeune homme à peine sorti des jupes de sa mère?

— J'ai besoin de sécurité. Je veux un foyer, une famille.

Elle le vit se mordre la lèvre d'un air perplexe.

— Vous êtes amoureuse de lui?

— Non, mais il est amoureux de moi.

— Ce n'est pas vrai. Il croit l'être, c'est tout, assura-t-il d'un ton sec.

— Comment pouvez-vous en être aussi sûr puisque vous ne le connaissez pas?

— Il est normal qu'un jeune homme soit attiré par une femme plus âgée que lui, surtout si elle est habillée en vamp et sur une scène de cabaret. Je ne sais pas si Sean vous aimerait autant s'il vous voyait en ce moment. Mon frère aussi est fasciné par les filles de cabaret, à Paris.

Elle était d'accord avec son interprétation du caractère de Sean. Ce qu'elle n'appréciait pas, c'était d'être mise au rang de fille de cabaret !

— Il a le mérite de vouloir m'épouser...

Après un court instant de silence, sans cesser de regarder la route, il lui prit la main dans l'obscurité et déclara :

— Moi aussi.

Elle s'attendait à tout de sa part, sauf à ça... Il avait retiré sa main pour tenir le volant.

— Vous plaisantez ! s'exclama-t-elle.

— Non, Laura. Un homme ne prend pas ce genre de décision en cinq minutes. Oh, je vous ai trouvée tout de suite jolie et désirable. Jusqu'à ce que je vous connaisse mieux, j'ai pensé que vous feriez une maîtresse idéale, c'est vrai.

— Une maîtresse ? Mais alors, vous êtes marié ? fit-elle, désinvolte.

Elle se refusait à le prendre au sérieux même si elle se sentait envahie par des émotions infiniment troublantes.

— Les célibataires ont aussi le droit d'avoir des maîtresses... Mais, comme toutes mes tantes ne cessent de le répéter, il est temps que je me marie. Nous pourrions au moins y réfléchir, dites... ?

— Pourquoi pas, dit-elle d'une voix trop douce.

En réalité, elle contenait à grand-peine sa colère et elle souffrait. Une demande en mariage ! C'était le comble ! Elle comprenait qu'il veuille protéger son frère, mais faire une demande en mariage quand on n'avait aucune intention de l'honorer, c'était indigne. Il lui avait demandé de réfléchir ? Eh bien, elle n'avait pas besoin de réfléchir. Elle allait dire oui, accepter ! Et tout de suite ! Rien que pour avoir le plaisir de voir cet homme odieux se débattre dans une situation inextricable !

— Henri, chuchota-t-elle en se pelotonnant contre lui.

— Qu'y a-t-il, ma chérie ?

Il ralentit pour lui caresser tendrement les cheveux et cette main éveilla à nouveau en elle ces sensations inconnues qui la laissaient sans volonté, sans défense.

— Vous voulez vraiment m'épouser ?

— Nous devons nous donner le temps de réfléchir.

— Vous hésitez, n'est-ce pas ? souffla-t-elle tristement.

Il lui entoura les épaules et l'attira contre lui. Laura sentit une chaleur étrange monter en elle. Ses joues s'empourprèrent.

— On ne décide pas de se marier à la légère. Vous pourriez regretter d'avoir cédé sur un coup de tête. Oubliez-vous qu'il y a seulement un instant vous songiez à épouser Sean ?

— Vous ne m'aviez pas encore demandée en mariage... car vous l'avez fait, ne l'oubliez pas...

— Oh non ! Et je suis très sérieux !

Richard gardait les yeux rivés sur la route, visiblement peu désireux d'affronter le regard de Laura.

— Parfait, dit-elle avec un soupir de ravissement. J'accepte... J'achèterai dès demain un manuel de français. Car nous vivrons en France, n'est-ce pas ?

Elle vit sa main droite se crisper sur le volant. Puis il se pencha pour lui embrasser rapidement les cheveux.

— Nous devons fêter dignement nos fiançailles. On va chez vous ?

Plus que jamais, elle était déterminée à ne pas révéler son adresse à Richard Bowden.

— Impossible. J'habite dans une pension de famille. On n'a pas le droit d'y amener des hommes...

— Dommage. Nous pourrions aller à mon hôtel ?

Laura savait très bien qu'il avait un appartement à Londres. Ainsi, il était prêt à louer une chambre d'hôtel... Cela en disait long sur ses intentions.

— Oh non, pas l'hôtel, Henri. Comment pourrais-je aller seule dans un hôtel avec un homme...

— Vous ne pensez pas que nous devons nous assurer que nous sommes... enfin, que nous nous entendons bien dans... tous les domaines ?

— Henri ! cria-t-elle, réellement scandalisée.

Voilà donc comment il comptait se tirer du guêpier où il s'était fourré ! Après avoir abusé de sa naïveté, il lui déclarerait que, finalement, ils n'étaient pas faits l'un pour l'autre et le tour serait joué. Tous les moyens étaient bons pour coucher avec elle, peut-être pour pouvoir ensuite annoncer la nouvelle à Sean...

— Qu'ai-je dit de mal ? Nous devons nous connaître mieux, parler de nos projets d'avenir.

— Une chambre d'hôtel n'est pas l'endroit rêvé pour ça.

— Vous avez raison. Une chambre, un lit... cela risquerait de nous entraîner trop loin... Je vais vous ramener à votre pension et nous nous retrouverons demain matin à mon hôtel. Le Ritz, vous vous en souvenez ? Nous passerons la journée ensemble.

Laura ne trouva rien d'autre que de se faire déposer devant la maison de Francis. La nuit était tombée depuis longtemps. Il se gara près de l'église.

— Ce doit être pratique pour vous d'habiter près d'une église ?

— Oui.

— C'est celle de votre frère ?

— Non.

Il éteignit les phares et la prit dans ses bras. Comme ils étaient « fiancés », elle ne pouvait que le laisser faire.

— Laura, j'ai un aveu à vous faire, commença-t-il d'un air grave.

Il allait tout lui dire ! pensa-t-elle, folle de joie. Tout mettre au clair. Abandonner les mensonges, et l'hypocrisie. Cette douloureuse histoire ne serait plus qu'un mauvais souvenir. Peut-être même deviendraient-ils amis...

— Oui ?

Elle faillit l'appeler Richard mais se retint à temps. Il fallait que la confession vienne de lui.

— Je... je vous ai menti... je ne possède pas de vignoble.

Elle sentit qu'il avait changé d'avis au dernier moment mais qu'il avait été sur le point de lui avouer quelque chose de bien plus important.

— Vous croyez vraiment que tout ce qui m'intéresse, c'est l'argent ?

— Non. Enfin, je n'en sais rien...

— Je trouve incroyable que vous en doutiez. Il est encore temps de vous rétracter, vous savez.

— Non. Je veux vous embrasser, dit-il d'une voix que l'émotion rendait rauque.

Il l'attira contre lui et la serra avec passion. Elle avait de plus en plus de mal à croire qu'il jouait la comédie.

— Vos cheveux sont aussi brillants que du platine... Est-ce vraiment là leur couleur naturelle ?

— Tout en moi est naturel, répondit-elle avec un sourire charmeur.

S'il ne l'aimait pas, elle voulait au moins lui faire regretter son attitude. Car elle savait qu'il était attiré par elle. Qu'il serait déçu de ne pas la voir arriver à leur rendez-vous, le lendemain matin.

— Vous m'aimez vraiment ? demanda-t-il.

— Autant que vous m'aimez, Henri. Peut-être même plus...

— C'est impossible ! assura-t-il avec véhémence.

Et il posa ses lèvres ardentes sur les siennes. Français ou pas, il avait la fougue d'un amoureux passionné... Il lui murmurait des mots tendres à l'oreille — le genre de mots que l'on entend dans les chansons : « Je t'adore », « Mon amour »... —, lui parlait de sa beauté, de sa peau douce comme du velours, de ses cheveux éclatants, de ses lèvres comme des pétales de rose... Laura se laissa emporter par cette voix douce et persuasive.

Sans cesser de parler, il se mit à lui caresser les cheveux, couvrant son visage de baisers. Incapable de dire un mot, elle le contemplait, les yeux mi-clos. Il était si beau avec ses épais cils sombres, son nez droit, ses lèvres sensuelles... Il faisait trop noir pour qu'elle puisse voir ses yeux qui, seuls, auraient pu la renseigner sur ses véritables sentiments. Oh ! Pourquoi Richard n'était-il pas venu aux *Caves de France* avant Sean ? Peut-être serait-il, lui aussi, tombé follement amoureux d'elle... Quand elle détourna la tête pour échapper à ses lèvres avides, il lui prit le menton et la força à le regarder.

— Je crois que vous ne m'aimez pas, chérie.

— Mais pourquoi ?

Les yeux brillants de désir, il la dévisageait.

— Vous ne répondez pas à mes baisers. On dirait que vous les subissez. Vous n'êtes pourtant pas frigide... non...

— J'ai un peu peur, c'est tout. Je ne... je ne fais pas souvent ça...

Elle vit dans la pénombre un sourire de satisfaction illuminer son visage.

— Vous êtes la fille la plus adorable que j'aie jamais rencontrée. Une violette épanouie en secret au fond d'une clairière... Je suis heureux que vous ne fassiez pas ça souvent mais vous n'avez aucune raison d'avoir peur. N'oubliez pas que vous allez être ma femme, dit-il en lui caressant la joue.

Emue par ses paroles, elle hocha silencieusement la tête.

— Embrassez-moi, ordonna-t-il. Prouvez-moi que vous m'aimez.

Elle le prit timidement par le cou et lui effleura doucement les lèvres. Comme un papillon de nuit qui, attiré par la lumière, aurait su qu'il ne fallait pas trop s'en approcher... Lorsqu'elle voulut se dégager, il la serra violemment contre lui. Elle eut la sensation qu'il ne voulait faire qu'un avec elle, mêler son corps au sien...

De crainte que la situation n'échappe à son contrôle, elle rejeta la tête en arrière. Il ne souriait plus. Il la fixait, étonné, comme s'il la voyait pour la première fois. Puis il ferma les yeux et s'empara de sa bouche. Elle commença par résister mais il la força en gémissant à entrouvrir les lèvres. Sous la caresse profonde de sa langue, elle sentit une onde de feu lui enflammer tout le corps et s'y abandonna, submergée par un déferlement de passion. Quand il cessa de l'embrasser, il la tint un long moment contre lui, la tête enfouie dans ses cheveux.

— Ce n'était pas trop mal, n'est-ce pas ? demanda-t-il d'une voix très douce.

Encore sous le choc, elle ne remarqua pas que, pour dire ces mots, il avait oublié son accent français.

— C'était... formidable, souffla-t-elle avant d'ajouter tristement : si seulement...

Si seulement il m'aimait, pensa-t-elle en son for intérieur. Car, elle comprenait, avec effroi et consternation, que jamais elle n'avait ressenti pareille émotion dans les bras d'un homme. Etait-ce de l'amour ? De la passion ? Les deux ?

— Si seulement quoi ?

Elle secoua la tête.

— Rien. J'aimerais que cela dure. C'est tout.

Ou, mieux encore, que cela n'ait jamais commencé, songea-t-elle avec une amertume qu'elle ne se connaissait pas.

— Ça durera, Laura, murmura-t-il. Pour le moment, nous devons nous dire au revoir. Jusqu'à demain... Je vous aime, ajouta-t-il d'un ton parfaitement sincère.

Il l'embrassa sur la joue et sortit de la voiture. Laura vit avec soulagement que la maison de son frère était éclairée. Richard Bowden aurait été très étonné de la voir frapper à la porte de chez elle !

— Je pourrais passer vous prendre ici demain ? proposa-t-il.

— Non, non, répondit-elle effrayée. Nous nous retrouverons à l'hôtel, comme convenu.

— A dix heures ? Vous verrez, nous passerons une merveilleuse journée.

Laura attendit qu'il s'éloigne, respira profondément et frappa. Elle raconta toute la vérité à Francis et Mavis mais en transformant Richard en une camarade rencontrée au concert.

— Ton amie ne t'a pas raccompagnée en voiture jusque chez toi ? s'étonna Mavis. C'est bizarre.

— Oh, elle me l'a proposé mais, quand j'ai vu de la lumière ici, j'ai préféré m'arrêter pour lui éviter le trajet. Elle habite à l'autre bout de la ville et déteste conduire la nuit.

— Comment était le concert ?

— Magnifique. J'ai passé une excellente journée.

C'était vrai. Même s'il lui en restait un arrière-goût désagréable. Elle se répéta tristement que

Richard lui avait menti sur toute la ligne. Il cherchait seulement à prouver qu'elle était une garce. Pour Sean. Et il avait déjà échoué. Que dirait-il à son frère ? Elle haussa les épaules. Bah ! Il pourrait lui raconter tout ce qu'il voudrait, elle s'en moquait. Elle n'avait qu'une certitude, c'était qu'il ne lui dirait jamais la vérité. Car la vérité, c'était que, pour son malheur, Laura Talmadge était tombée éperdument amoureuse de Richard Bowden.

Chapitre cinq

Le lundi, la journée de Laura à l'Académie commençait tôt. Elle assista à ses cours comme d'habitude mais elle ne pouvait penser qu'à l'hôtel Ritz. Elle imaginait Richard assis à une table en train de l'attendre. Comment réagirait-il en comprenant qu'elle lui avait posé un lapin ? Irait-il chez Francis ? Probablement pas. Il y avait peu de chance pour qu'il parvienne à retrouver la maison. Il l'avait vue de nuit et ignorait l'adresse. Il ne la chercherait d'ailleurs pas car il ne tenait sans doute pas à revoir Laura, trop content de s'être débarrassé d'elle à si bon compte.

Il pourrait déclarer à Sean que la ravissante Laura n'était qu'une opportuniste, prête à suivre le premier homme qui lui faisait miroiter un riche mariage. La seule consolation de Laura était qu'il ne pourrait pas prétendre sans mentir qu'elle avait accepté une liaison moins officielle... Mais il n'en était pas à un mensonge près.

La journée lui parut interminable. Après son cours particulier de l'après-midi, elle s'attarda devant son orgue. Elle était fatiguée mais ne pouvait se résoudre à rentrer chez elle.

Quand l'école ferma ses portes, elle fut bien obligée de partir et ce fut avec une appréhension mêlée d'espoir qu'elle s'approcha de son immeuble. Aucune voiture de sport garée aux alentours, aucune silhouette familière devant l'entrée... Elle grimpa jusque dans son minuscule appartement, se prépara une omelette, de la salade et du café et lut le journal en dînant, pour tenter de meubler sa solitude.

Soudain, elle réagit. C'était trop bête de se morfondre ainsi pour un homme qui l'avait si mal traitée ! Elle téléphona à Mavis pour lui proposer d'aller au cinéma.

— Impossible, Laura. Francis est à une réunion. Pas très loin de chez toi, d'ailleurs. Il a dit qu'il passerait peut-être te voir. Nous pouvons y aller demain, si tu veux ?

— Bon. Rendez-vous au Tivoli à sept heures ? Ça te va ?

— Qu'est-ce qu'on y joue ?

— Un film américain avec Burt Reynolds.

— N'en dis pas plus, ça me va !

Elles bavardèrent encore quelques minutes. A la fois rassurée et déçue, Laura savait maintenant que Richard n'était pas allé chez son frère pour tenter de la voir. Ce qu'en dépit de tout elle avait espéré...

Après avoir fait un peu de ménage elle prit une douche. Comme il se faisait tard, elle ne se rhabilla pas et enfila un simple peignoir. Puis elle décida d'ouvrir la bouteille de vin que lui avait donnée Jerry et choisit un disque. C'était la *Fantaisie en ut* de Bach, une de ses œuvres préférées. Elle remarqua alors que ses ongles avaient besoin d'être vernis.

Elle apportait à ses mains un soin tout particulier depuis qu'elle travaillait aux *Caves de France*. Le ton rose nacré de son vernis les mettait bien en valeur. Soudain, elle entendit des pas dans l'escalier et cria :

— C'est toi, Francis ? Entre !

La porte s'ouvrit sans bruit sur Richard Bowden. Il était blanc de rage.

— Richard ! s'exclama-t-elle.

Elle rajusta son peignoir avec tant de hâte qu'elle renversa le verre de vin sur la moquette.

— Je ne suis visiblement pas le client que vous attendiez ! ricana-t-il.

— Le client ? répéta-t-elle sans comprendre.

Pour l'instant, seule sa tenue l'inquiétait. Elle ne portait rien sous son peignoir. Il jeta un regard critique sur ses cheveux dépeignés, sur le vernis à ongles et la bouteille de vin, puis examina avec mépris les affreux rideaux rouges et les meubles bon marché.

— Vous vous êtes aménagé un joli petit lupanar... Très accueillant, dit-il d'un ton sarcastique.

Sa remarque ne laissait plus aucune place au doute. Il la prenait pour une prostituée ! Laura comprit sans peine pourquoi : sa tenue débraillée, ce décor tape-à-l'œil et surtout la façon dont elle avait invité un homme à entrer étaient pour lui autant de preuves.

Furieuse, elle se leva très dignement et montra la porte.

— Même dans les lupanars, on ne reçoit pas n'importe qui. Je vous ordonne de partir, déclara-t-elle hautaine.

— J'ai l'impression que ce Francis est en retard. Comme vous ne tenez certainement pas à perdre de l'argent, je vous propose de le remplacer. Combien prenez-vous ?

— Tout l'argent du monde n'y suffirait pas, monsieur Bowden.

— Les prostituées sont bien organisées. Comment avez-vous découvert mon nom ? Vous avez des dossiers ? un ordinateur ? Peut-être même possédez-vous mes empreintes digitales ?

— C'est beaucoup plus simple. J'ai vu votre carte d'identité.

— En fouillant dans mon portefeuille, je suppose ? Vous n'avez pourtant pas touché à mon argent. Merci de cette délicatesse.

Il y avait dans sa voix apparemment calme une terrible violence difficilement contenue.

— Quoi que vous en pensiez, je ne suis ni une voleuse ni une prostituée. Comment avez-vous trouvé mon adresse ?

— Facile... Vous vous êtes crue maligne, hier soir... Après votre départ j'ai tourné un peu dans le quartier pour m'assurer de pouvoir retrouver votre maison, et devinez qui j'ai vu ? Mademoiselle Talmadge qui s'éloignait dans la nuit ! Je n'ai eu qu'à vous suivre.

— C'est pour ça que je suis une prostituée ?

— En tout cas, vous habitez le bon quartier... Et la facilité avec laquelle on entre chez vous tend à le confirmer.

— Eh bien, je n'en suis pas une !

— Vous protestez un peu trop fort, je trouve. Ce fameux Francis serait-il le seul à bénéficier de vos si distinguées faveurs ? Quitte à avoir un seul client, vous auriez pu en choisir un plus riche. Francis pourrait vous payer un nid d'amour un peu plus chic...

— Bien que cela ne vous regarde pas, c'est moi qui paie mon loyer.

— Vous oubliez un petit détail, Laura. En tant que fiancé, j'estime avoir le droit de savoir qui paie le loyer de ma future épouse.

— Finissons-en avec cette comédie, monsieur Bowden. Je n'avais pas plus que vous l'intention de vous épouser.

— Vous vous trompez. J'étais très sérieux.

74

J'*étais*, évidemment. Il y a des limites à ce qu'un homme peut accepter de sa fiancée.

— Quel nom comptiez-vous mettre sur le certificat de mariage ? C'est bizarre, non, qu'un fiancé utilise un pseudonyme ? Je commence à me demander s'il n'existe pas déjà une Mme Richard Bowden. Elle serait peut-être contente de savoir où son mari passe ses soirées ?

— Navré de vous décevoir. Votre tentative de chantage ne mènera à rien. Il n'existe aucune Mme Richard Bowden... Bon, il est temps de passer aux choses sérieuses. Francis a vraiment raté son rendez-vous, dit-il en marchant vers elle.

Laura recula, cherchant des yeux un objet assez lourd pour se défendre. Richard continuait à avancer, le visage crispé dans un sourire lourd de menace et aussi de désir.

— Je meurs d'impatience de voir votre boudoir... Je l'imagine tendu de satin rouge, à moins que vous n'ayez préféré le côté petite fille ?

— Si vous me touchez, j'appelle la police ! lança-t-elle, terrorisée.

Il se tenait entre elle et la porte. Impossible de fuir...

— Comme vous avez changé ! Hier soir, vous souhaitiez que nos baisers durent toujours...

Il franchit lentement le dernier mètre qui le séparait d'elle et l'agrippa par les épaules.

— N'ayez crainte, fit-il en l'attirant contre lui. Vous n'aurez pas à vous plaindre de moi. Je serai un client généreux...

— Non ! Je vous en supplie... chuchota-t-elle, les yeux écarquillés de frayeur.

— Ah ! Voilà qui ressemble plus à ma petite fiancée tremblante et vierge, dit-il d'un ton moqueur. Croyez-vous que vous parviendrez à vous arracher quelques larmes pour faire plus authentique ?

— Richard, arrêtez...

Il la conduisit de force vers la chambre plongée dans l'obscurité. Sans la lâcher, il alluma la lumière puis referma la porte et s'y adossa.

— Déshabillez-vous, ordonna-t-il les yeux fixés sur l'entrebâillement de son peignoir.

Elle décela sur son visage un mélange de détermination implacable et de douleur. Pour tenter d'apaiser la panique qui la submergeait, elle se mordit les lèvres, prise de nausée. Qu'avait-elle donc fait pour se retrouver dans une situation aussi épouvantable ?

— Mon frère va arriver d'une minute à l'autre, gémit-elle d'une voix tremblante.

Oh ! Mais pourquoi n'arrivait-il pas ?

— Déshabillez-vous, répéta-t-il.

Comme elle ne lui obéissait pas, il défit lui-même la ceinture de son peignoir. Elle fit des efforts désespérés pour le refermer, en vain. Il la prit dans ses bras et l'embrassa avec une violence et une brutalité qui tenaient plus de la haine que de l'amour. Elle se débattit de toutes ses forces, le souffle court.

— Cette fois vous ne m'échapperez pas, Laura. Votre petit manège ne marche plus !

Il lui emprisonna les poignets d'une main pendant qu'il se débarrassait de sa veste. Comme il changeait de main pour ôter la seconde manche, elle parvint à se libérer et se précipita vers la porte. Mais un bras impitoyable la saisit par la taille et entrouvrit le peignoir. Elle sentit ses doigts d'acier mordre dans sa peau nue. Elle frissonna violemment. Ce contact éveillait en elle une émotion qui n'était plus de la peur.

Glissant son autre bras sous le peignoir, il la

serra contre lui. Sa bouche brûlante et avide la força tout de suite à entrouvrir les lèvres et il se mit à lui caresser le dos, l'égratignant avec un de ses boutons de manchette. Elle fit à nouveau l'impossible pour se dégager. Peine perdue. Il la serra encore plus fort contre lui. Elle était dominée par sa force, sa passion et sa colère. La chaleur de ce corps exigeant l'envahit soudain et, malgré ses efforts pour lutter contre la fièvre qui montait en elle, une vague de feu déferla dans ses veines comme du métal en fusion. Elle gémit doucement et s'abandonna brusquement.

Après un instant d'hésitation, elle mit les bras autour de lui et sentit sous ses doigts les muscles puissants de son dos. Alors, elle plaqua spontanément son corps contre le sien et se laissa emporter par un désir fou et grisant.

Sans cesser de l'embrasser, il déboutonna sa chemise. Elle glissa ses mains à l'intérieur, d'abord timidement, puis, très vite, plus audacieusement. Levant la tête, il plongea les yeux dans les siens. Il avait les joues en feu.

— Jamais je n'ai autant désiré une femme ! gronda-t-il d'une voix rauque. Petite sorcière !

Elle lui caressait le dos pour essayer de le calmer. Hypnotisée par sa colère, elle vit lentement l'expression de son visage changer. Comme un film projeté au ralenti sur un écran. La colère ne disparut pas complètement, pourtant. Elle se mêla à d'autres émotions : le dégoût, la dérision, la douleur.

— Richard ! souffla-t-elle dans un sanglot.

Son visage se figea aussitôt. Elle n'y lut plus que de la fureur.

— Assez ! hurla-t-il.

Apeurée, elle recula. Il la reprit tout de suite dans ses bras.

— Embrassez-moi, ordonna-t-il.

Comme elle restait immobile, il s'empara lui-même de ses lèvres. Son dos avait la douceur du velours et la dureté de l'acier. Elle sentait sous ses doigts sa taille mince et musclée. Il la caressait aussi, promenant ses mains sur le creux de ses reins et ses hanches pleines.

Ils n'avaient qu'un pas à franchir pour se retrouver sur le lit... Laura aperçut du coin de l'œil la couverture en patchwork de sa grand-mère, qui avait remplacé le couvre-lit de satin jaune de Mme Holmes. Tout lui revint en mémoire, sa grand-mère, sa mère, Francis...

Elle le repoussa brutalement.

— Arrêtez ! Mon frère va arriver.

— Qu'il aille au diable !

A cet instant, on frappa à la porte.

— C'est lui ! s'écria-t-elle.

Il la relâcha aussitôt et, sans la quitter des yeux, reboutonna en hâte sa chemise et réajusta sa cravate. Elle renoua sa ceinture et sortit de la chambre, Richard sur les talons.

— Bizarre qu'un frère soit obligé d'attendre que vous lui ouvriez, déclara-t-il, sceptique.

Il avait retrouvé toute sa morgue.

— C'est pourtant lui, assura-t-elle.

Elle ouvrit la porte et se retrouva devant Chester, le cuisinier des *Caves de France*, un large sourire aux lèvres.

— Bonsoir mon petit, dit-il gaiement. Je vous dérange ?

Il contemplait Richard d'un air très intéressé.

— Chester, que faites-vous ici ?

— Je viens de la part de Jerry. Il a essayé de vous appeler toute la journée. Je peux revenir, si vous voulez...

— Non, je m'apprêtais à partir, répondit

78

Richard. Je ne voudrais surtout pas gêner Mlle Talmadge dans la conduite de ses affaires...

— Chester travaille au restaurant, expliqua-t-elle.

— Un endroit rêvé pour les contacts... A partir d'aujourd'hui, vous en aurez pourtant un de moins. Sean ne remettra pas les pieds aux *Caves de France*. Je n'ai rien à ajouter. Je crois que j'ai oublié ma veste dans la chambre.

— Chester, ne partez surtout pas avant lui, chuchota Laura pendant la courte absence de Richard.

— Il vous fait des ennuis ?

— Plutôt, oui. Que voulait Jerry ?

— Vous proposer de jouer en extra demain soir. Pour un banquet. Il vous offre quinze livres.

Laura se souvint de son rendez-vous avec Mavis.

— C'est malheureusement impossible, je suis prise demain soir.

Elle aurait pu s'arranger avec Mavis, mais elle en avait par-dessus la tête de ces banquets. Ces derniers temps, Jerry lui en avait imposé beaucoup trop. Richard reparut et la toisa d'un air dégoûté.

— Il pourrait aller jusqu'à vingt livres, reprit Chester. Vous êtes irremplaçable pour ce genre de choses, Laura !

— Vingt livres ? intervint Richard en la fusillant du regard. A ce prix-là, j'espère que vous leur sortez le grand jeu !

— C'est de musique que nous parlons !

Déjà engagé dans l'escalier, il ne se retourna même pas pour lui répondre.

— Qui est ce type ? demanda Chester un peu plus tard.

— Oh ! Un... un ami, dit-elle.

Les derniers mots de Richard résonnaient encore douloureusement à ses oreilles.

— Bon. Et pour demain soir, alors ?

— C'est non. Désolée.

— Comme vous voudrez. A mercredi !

Chester repartit en sifflotant. Elle resta un instant à la porte prête à la claquer au nez de Richard s'il revenait. Mais il ne revint pas. Elle s'enferma à clé et regagna sa chambre pour remettre de l'ordre dans sa tenue avant l'arrivée de Francis. Sur le lit, elle trouva un billet de dix livres. Sa première pensée fut qu'il était tombé par hasard de la poche de Richard puis elle se souvint qu'à aucun moment ils ne s'étaient approchés du lit. Il lui avait délibérément laissé cet argent ! Pourquoi ?

Il lui fallut quelques minutes pour comprendre clairement la signification de ce geste. Il la payait pour ses services ! Comme une vulgaire prostituée ! Il avait naturellement interprété à sa façon la visite incongrue de Chester et leur discussion. Son opinion était bel et bien faite. Et alors ? Qu'est-ce que cela pouvait bien faire, après tout ? Leur relation reposait depuis le début sur une série de malentendus impossibles à dissiper.

Quand elle entendit des pas dans l'escalier, elle attendit par prudence que Francis se soit nommé avant d'ouvrir.

— Bonsoir, Laura ! Je suis content de te voir.

— Mavis m'a avertie que tu passerais peut-être.

— Tu as un peu de café pour ton pauvre pasteur de frère ?

— Bien sûr, j'ai même du vin, si tu veux.

Ah ! si Francis était arrivé pendant la visite de Richard... Il ne portait pas son col blanc, mais même ainsi, dans ce costume sombre, il avait l'air éminemment respectable. Sans compter qu'il ressemblait beaucoup à Laura.

— Que s'est-il passé, Laura ? Ça empeste le vin chez toi !

— J'ai renversé un verre...

Et, tout à coup, elle décida de tout raconter à Francis, angoissée à l'idée que Richard Bowden pouvait avoir d'autres crises.

— Toi qui es vieux et sage, commença-t-elle un peu moqueuse, donne-moi un conseil. Je me suis fourrée dans un drôle de pétrin au club.

Mal à l'aise, elle exposa brièvement sa situation, passant sous silence les aspects les plus vexants de l'affaire.

— Je me fais beaucoup de souci pour toi, lui dit Francis en secouant la tête. Tu ferais mieux d'abandonner cet emploi. Tu pourrais t'en sortir sans cela, financièrement, non ?

— Oui, en raclant les fonds de tiroirs. Et puis, ce travail ne me déplaît pas...

— Je pourrais me débrouiller pour te trouver des jobs à la paroisse... A propos, tu n'as pas oublié que tu joues pour le mariage de notre cousine Anne Ogilvie, samedi en huit ?

— Non... Je vais peut-être m'absenter quelque temps du club. Dans une semaine, les Bowden auront oublié jusqu'à mon existence.

— Jerry sera d'accord ?

— Oh ! il va pousser les hauts cris mais je le calmerai en jouant dans quelques banquets. Il y a peu de chance pour qu'un Bowden y assiste. Ce n'est pas leur genre.

— Que font-ils au juste, ces Bowden ?

— Aucune idée. Tout ce que je sais, c'est qu'ils sont riches !

— Tu ne peux pas rester seule ici. Il connaît ton adresse, maintenant. Tu vas venir passer quelques jours à la maison. Nous mettrons le berceau du bébé dans notre chambre.

— Ça ne dérangera pas Mavis ?

— Au contraire ! Elle en sera enchantée. Tu lui

manques, tu sais. Au fond, Mavis n'est pas une citadine. Son rêve est de vivre à la campagne.

— Pour élever des poules et des vaches? demanda Laura avec un sourire attendri.

— Nous aurions au moins un potager. On ferait des économies sur les légumes.

— Appelle-la pour lui demander si je peux venir dès ce soir. Bowden guette peut-être ton départ en bas, dit-elle avec nervosité.

— Si jamais je le vois, j'ai beau être un homme d'Eglise, je lui casse la figure! J'ai deux mots à lui dire, à ce Bowden! Tu es une femme honorable et il doit le savoir!

— J'aimerais mieux ne plus entendre parler de lui.

Mavis fut ravie d'apprendre que Laura venait. Celle-ci rassembla quelques affaires dans une petite valise et partit avec son frère.

Le lendemain, à midi, elle téléphona à Jerry pour lui annoncer qu'elle ne viendrait plus jouer de l'orgue au club tant que les Bowden seraient dans les parages.

— Je suis surpris qu'un Bowden se soit si mal conduit, lui déclara-t-il en apprenant la raison de son départ.

— Pourquoi? Vous savez quelque chose sur les Bowden?

Elle n'avait pu s'empêcher de poser la question et cette curiosité lui prouvait qu'elle était moins indifférente qu'elle ne l'aurait souhaité.

— Vera avait déjà entendu ce nom quelque part, elle ne savait où. Et elle a lu par hasard, dans un journal, que Bowden vient d'acheter une société. D'après ce journal, il en possède déjà une douzaine!

— Quelle société a-t-il acheté?

— Une aciérie. Il construit des immeubles... et, ainsi, il fabriquera des poutres métalliques. Vous avez sûrement entendu parler de la *Société immobilière Bowden* ? On voit leur panneau blanc, noir et rouge sur la moitié des immeubles en construction de Londres !

— Mon Dieu ! C'est un de ces Bowden ? demanda-t-elle, incrédule.

— Non, non... Il représente à lui tout seul la société Bowden. Vera m'a montré sa photo dans le journal. C'est bien lui qui s'est fait passer pour un Français, l'autre soir. Vous auriez pu le laisser payer votre dîner. Il en a largement les moyens !

— Dans quel journal, cet article ?

— Le *Times*, à la rubrique financière.

Dès qu'elle eut raccroché, Laura se précipita à la bibliothèque de l'Académie pour consulter le *Times* du samedi. Accompagné d'une photo de Richard, l'article donnait un rapide aperçu de sa vie. Fils de sir Greville Bowden, il était l'héritier d'un titre qui remontait à Jacques 1er et aussi de Hazelhurst, le manoir ancestral, célèbre pour sa splendide architecture Tudor. Lauréat de l'université de Cambridge, on le présentait comme « un jeune promoteur d'avant-garde, spécialisé dans les immeubles à usage commercial ». Il venait d'acheter une aciérie à Manchester, qu'il projetait de moderniser pour en améliorer le rendement.

Et c'était cet homme-là — très occupé et très important — qui avait consacré un week-end entier à Laura... Malheureusement, il ne l'avait fait que pour protéger son jeune frère des griffes d'une fille de cabaret avide de richesse et de gloire.

Durant la semaine, aucun des Bowden ne lui donna signe de vie. Le vendredi soir, elle alla aux *Caves de France* jouer pour un banquet d'enseignants. Vera lui apprit que Richard était venu le mercredi et le jeudi. Il avait demandé à Jerry quand Laura serait de retour.

— Nous lui avons répondu que nous ne le savions pas, ma petite. Ne vous faites pas de souci. Quel gâchis, tout de même ! En voilà un qui ferait un mari idéal !

— Pour une riche héritière, une duchesse ou une comtesse mais pas pour moi.

— C'est vrai. L'argent va à l'argent. Sa famille n'accepterait certainement pas une simple roturière...

Le dimanche, convaincue qu'elle n'avait plus rien à craindre des Bowden, Laura décida de réintégrer son appartement.

— Nous te verrons samedi au mariage de la cousine Anne, lui rappela Mavis. Tu as une idée de cadeau ?

— Non. Et vous ?

— J'ai vu une très jolie théière en argent, avec le pot à lait et le sucrier assortis. En nous y mettant à trois, nous pourrions lui offrir l'ensemble ?

Laura lui donna l'argent nécessaire et partit. Une fois chez elle, elle verrouilla soigneusement sa porte et défit sa valise. Elle avait du linge à laver. Elle prit un roman, et se rendit à la laverie automatique. Elle ne pensait pas aux Bowden. Ni à Richard, ni à Sean et, à son retour, elle ne reconnut pas tout de suite ce dernier, appuyé contre une voiture rouge vif garée devant chez elle. Il s'était pourtant souvent plaint de ne pas posséder de voiture... Il se précipita à sa rencontre.

— Laura ! Laissez-moi porter ce paquet !

— Sean ! Qu'est-ce que vous faites ici ?

— Il faut que je vous parle.

— Vous êtes seul ? demanda-t-elle en jetant un coup d'œil méfiant vers la voiture.

— Oui, je rentre à l'instant de Hazelhurst. J'ai parlé avec Richard.

— Alors, vous savez ce qui s'est passé ?

— Oui. Cette fois, mon frère a dépassé les bornes ! Je tiens à m'excuser pour son attitude.

— C'est lui qui vous a donné mon adresse ?

— Non, il a refusé. Je l'ai trouvée dans son carnet. J'étais résolu à camper devant votre porte jusqu'à votre retour.

— Ne restons pas dans la rue. Montez.

— On pourrait plutôt discuter dans ma voiture, dit-il en la désignant du menton, tout fier.

— Non, je dois ranger ce linge.

Il inspecta l'appartement d'un œil critique et finit par déclarer :

— Richard a exagéré. Ce n'est pas aussi affreux que ça !

— Qu'est-ce qu'il a dit ? demanda-t-elle, prise de colère.

— Que vous viviez dans un véritable hôtel de passe, décoré de bibelots clinquants et avec des rideaux rouges pour séduire les gamins. Il m'a traité de gamin, vous vous rendez compte !

Apparemment, c'était pour lui la pire des insultes.

— En effet... Installez-vous pendant que je range ça. Vous voulez une tasse de thé ?

— Du thé ? Vous avez servi du vin à Richard.

— Je n'ai rien servi du tout à Richard !

— Il m'a dit que ça empestait le vin, chez vous.

— Pas étonnant, il m'a fait renverser un verre plein.

— Vous buviez du vin ?

— Oui, mais je ne lui en ai pas offert, dit-elle, excédée. Vous voulez du thé, oui ou non ?

— Non merci. Je suis venu vous dire que je désire toujours vous épouser, que Richard le veuille ou non. La voiture, je l'ai aussi achetée sans son consentement. J'ai pu faire un emprunt dans une société de crédit. Quand j'aurai vingt-cinq ans, j'aurai beaucoup d'argent, vous savez. L'héritage d'oncle Artémis... Ce n'est pas Richard qui m'empêchera d'épouser la femme de mon choix !

— Rien que par dépit, je serais tentée d'accepter. Mais on ne se marie pas par dépit, Sean. Je vous l'ai dit cent fois : le mariage ne m'intéresse pas.

— Vous étiez pourtant prête à épouser Richard ? Il me l'a dit !

— Je lui mentais parce que je savais qu'il me jouait la comédie. Il serait l'homme le plus riche de la terre que je ne l'épouserais pas. Vous pouvez d'ailleurs le lui dire de ma part !

— Il a mis tout ça en scène pour me prouver que vous n'étiez qu'une aventurière. Mais ça m'est égal. Je suis sûr que vous avez vos raisons. On ne choisit pas de gaieté de cœur la profession que vous exercez. Les call-girls...

— Mettons les choses au point, coupa-t-elle sèchement. Je ne suis pas call-girl. Puisque votre frère et vous me portez un tel intérêt, je vais vous dire la vérité. Je suis étudiante. Oui, comme vous, Sean, étudiante.

Il haussa les sourcils, incrédule.

— Vous n'êtes pas obligée de me mentir, Laura. Peu m'importe votre passé. Après notre mariage, vous...

— Je suis étudiante ! Etudiante à l'Académie royale de musique !

— C'est impossible... A votre âge ?

— J'ai vingt et un ans, figurez-vous, pas cent !

— Vingt et un ans ? Vous n'avez qu'un an de plus que moi ? s'écria-t-il. Je reconnais que vous faites beaucoup plus jeune sans votre maquillage. Vous... vous vous habillez toujours ainsi quand vous ne travaillez pas ?

Sa voix trahissait sa déception. Son regard aussi

tandis qu'il contemplait tristement sa jupe plissée, son chemisier très sage et ses chaussures plates.

— En général, je ne porte pas de robe longue et de bijoux pour faire le ménage ! répliqua-t-elle avec colère.

— Ne montez pas sur vos grands chevaux, Laura. Vous avez toujours été si gentille...

— Oui, et regardez où ça m'a menée ! J'ai dû quitter un travail qui non seulement me plaisait mais me faisait vivre. J'ai été forcée de déménager quelque temps. Et je ne parle pas des insultes que votre frère m'a fait subir !

— Il est insupportable. Il me gâche la vie, à moi aussi, en m'obligeant à terminer ces études qui m'assomment ! Je veux être metteur en scène et il le sait très bien. Je le lui ai assez répété. Mon rêve était de faire de vous la vedette de mon premier film.

— Vous aussi ? Décidément !

— Pourquoi dites-vous ça ?

— Peu importe.

— Il vous a proposé de jouer dans un film ?

— Oui.

— Mais c'était mon idée ! cria-t-il en donnant un grand coup de poing sur la table. Je lui ai dit que je voulais vous offrir un rôle. Toutes les filles veulent faire du cinéma, c'est bien connu. Vous avez raison, Laura. Il a eu tort de vous traiter si mal. Je tiens à me racheter.

— Vous ne m'aimez pas, Sean. Ce que vous aimez, c'est le mascara et le fond de teint. Les robes du soir scintillantes et les petites amourettes à bon marché. Moi non plus, je ne vous aime pas. Cessons cette comédie ridicule.

— Il ne faut pas m'en vouloir à moi, Laura. C'est Richard qui vous a insultée. Moi, je suis de bonne foi. Je vous épouserai. Je tiendrai parole, dit-il avec une fermeté un peu forcée. Je suis un Bowden. Un gentleman ne revient jamais sur sa parole. Et je comprends que c'est un peu de ma faute si vous avez perdu votre travail.

— Je ne veux pas de votre pitié, dit-elle sèchement. Maintenant, partez et ne revenez plus jamais.

— J'attendrai le temps qu'il faudra mais je reviendrai. Votre colère est légitime. Ce qui me dépasse, c'est celle de Richard. Vous auriez dû le voir. Il était fou de rage ! Il a pourtant obtenu ce qu'il voulait, du moins le croit-il. Il se prend pour mon père mais je ne lui céderai pas. Je vous épouserai !

— Sans mon consentement alors !

Sean se leva et regarda mélancoliquement autour de lui.

— Je ne vous imaginais pas dans un cadre pareil... Je vous voyais dans une splendide villa au bord d'un lac, avec des saules pleureurs, des oiseaux exotiques de toutes les couleurs... Enfin, le rêve peut encore devenir réalité, conclut-il en se dirigeant vers la porte.

Il se prit malencontreusement le pied dans le paillasson, ce qui gâcha quelque peu sa sortie. Laura ne se leva que lorsqu'il eut disparu pour fermer le verrou. Pauvre Sean... elle n'aurait pas dû passer sa colère sur lui. Ce n'était qu'un enfant rêveur et romantique. Il ne l'aimait pas vraiment. Il ne tenait même pas à l'épouser.

Après avoir rangé son linge, elle décida de faire le ménage. La poussière s'était accumulée un peu partout en son absence. Elle établit ensuite une liste de courses à faire, prit une douche et se coucha.

Le dénouement de l'affaire Bowden lui laissait un goût amer. Richard était parvenu à ses fins. Il avait réussi à rompre tous les ponts entre Sean et elle. Oh ! ça lui était parfaitement égal. Elle en éprouvait même un certain soulagement. Ce qui la torturait, c'était que, malgré sa grossièreté inouïe, Richard sortait indemne de cette histoire. Elle ne pouvait le laisser s'en tirer aussi facilement. Mais comment se venger ? L'incident était clos, l'affaire classée. A jamais... Elle tirait son unique satisfaction d'une remarque de Sean : Richard était fou de rage. Sans trop savoir pourquoi, cela lui faisait plaisir.

Chapitre six

Le lendemain après-midi, Sean Bowden attendait Laura à la sortie de ses cours.

— Nous devons discuter de nos projets, déclarat-il d'un ton ferme et résolu.

— Allez au diable, Sean! lança-t-elle avec violence.

Mais il lui emboîta le pas.

— Ce qu'il me faut, c'est une autorisation spéciale. Pour vous, pas de problème, vous êtes majeure. Nous allons mettre Richard devant le fait accompli. Il ne pourra rien contre nous.

— Je refuse de vous écouter! Laissez-moi!

— Si vous voulez, nous pouvons attendre les vacances, patienter quelques semaines?

— Je ne veux pas vous épouser! Ni maintenant ni jamais. Vous ne pouvez pas le comprendre?

— Il le faut! Vous avez perdu votre emploi par ma faute. Vous êtes orpheline et ce n'est pas votre frère, un pauvre pasteur, qui pourra vous aider. Dieu seul sait comment vous finirez. Vous ferez le trottoir, vous vendrez vos faveurs pour un repas, vous vivrez dans un taudis... Je dois vous épouser, conclut-il, théâtral.

Ainsi son goût du mélodrame et du romanesque avait transformé la femme de mauvaise vie en pauvre orpheline. Il se donnait maintenant le rôle du riche chevalier volant au secours de l'infortunée jeune fille !

— J'ai de l'argent. Mon frère aussi d'ailleurs. Suffisamment pour me jeter de temps en temps un os à ronger, l'hiver venu. Je n'ai pas besoin de votre charité.

— Votre fierté me plaît. Je sais que vous m'aimez et que vous ne voulez pas me pousser à une mésalliance. Laura, c'est la preuve que vous m'aimez. Vous ne comprenez pas ? Vous faites passer mon intérêt avant le vôtre !

— Dans mon propre intérêt, je ne vous épouserai jamais ! Je ne vous aime pas, je ne vous ai jamais aimé et, si vous persistez, je sens que je vais vous détester !

— Voilà votre autobus qui s'en va... Laissez-moi au moins vous raccompagner chez vous ? Vous n'êtes jamais montée dans ma nouvelle voiture.

— J'accepte. Vous me devez bien ça, mais vous n'entrerez pas.

Fier comme un paon, Sean la fit monter dans sa voiture qui étincelait de tous ses chromes au soleil.

— Que pense votre frère de ce mariage ? demanda-t-elle avec ironie.

— Il menace de me faire interner dans un hôpital psychiatrique.

— Charmant ! Je serai accueillie à bras ouverts à Hazelhurst, je le sens !

— Nous n'y retournerons pas. J'ai rencontré un type qui part cet été en Italie pour le tournage d'un film. Il s'occupera de la comptabilité, je crois. Ça nous fera au moins un contact. Dès qu'ils vous verront, je suis sûr qu'ils vous engageront sur-le-champ ! Il faudra naturellement vous habiller un peu mieux que ça, dit-il en jetant un regard désolé sur son pantalon de flanelle grise.

— Je ne sais pas m'habiller, répliqua-t-elle.

La façon de conduire de Sean était à l'image de sa maladresse. Elle s'agrippa à son siège tandis qu'il prenait un virage dans un inquiétant crissement de pneus.

— Je m'occuperai de vous. D'autres l'ont fait, vous savez. Un metteur en scène de talent découvre une fille ordinaire et la transforme en star. Regardez Roger Vadim ! C'est lui qui a créé Brigitte Bardot, Jane Fonda et d'autres encore.

— Ça ne marchera pas. J'ai les jambes arquées.

Elle aurait dit n'importe quoi pour ne pas entendre ces absurdités.

— C'est faux. Hier, j'ai remarqué que vous aviez de très jolies jambes. Vous portiez ce kilt de petite fille, vous vous souvenez ?

— Déposez-moi ici. J'ai des courses à faire, dit-elle quand ils furent arrivés à proximité de chez elle.

— Je vais vous aider, fit-il sans se laisser démonter.

Il monta ses deux grands sacs à provisions et resta là, visiblement certain qu'elle allait l'inviter pour dîner.

— Merci beaucoup, Sean. Posez ça sur la table et allez-vous-en.

— Mais... vous avez acheté deux steaks.

— En effet. Un pour ce soir et l'autre pour le congélateur. Au revoir, Sean. J'espère vous voir un jour sur un écran de cinéma.

— Je réussirai, vous verrez. A bientôt, je vous téléphonerai !

— Merci de me le dire. Une femme avertie en vaut deux !

Elle claqua la porte et la verrouilla avec soin. Décidément, pensa-t-elle, je me demande lequel des deux frères Bowden est le plus odieux ! Elle dîna sans appétit. Elle se sentit désespérément seule.

92

Elle téléphona à une camarade qui arriva avec quelques disques. Mais Laura ne pouvait être attentive à rien sinon au téléphone... qui ne sonnait pas. Elle sursauta lorsque la sonnerie finit par retentir. C'était Mavis. Elle avait acheté le service à thé et voulait lui emprunter un sac noir pour le mariage de samedi. La soirée traînait en longueur. Pourquoi ne cessait-elle de penser à Richard ? S'il l'appelait, ou s'il venait, ce serait pour l'agonir d'injures... Après le départ de son amie, elle se coucha, la mort dans l'âme. Elle devait se résigner à ne plus jamais revoir Richard Bowden — et s'en réjouit.

Le lendemain, à son retour de l'Académie, lorsqu'elle le trouva chez elle, assis dans un fauteuil, un verre de vin à la main, en train d'écouter un disque, elle eut un étrange sentiment d'exaltation. Puis il se tourna vers elle et la dévisagea d'un regard glacial. Il ne se leva même pas pour la saluer.

— Surtout, ne bougez pas, dit-elle, sarcastique. C'est pour mettre du piquant dans votre existence que vous vous êtes lancé dans le cambriolage par effraction ?

— Non, je me suis simplement fait passer pour votre cousin. La concierge m'a gentiment ouvert la porte. Personne ne résiste à un billet de dix livres, vous savez. Et puis, vous n'êtes pas la seule à recevoir des hommes dans cet immeuble. Vous devriez vous cotiser pour aménager une salle d'attente !

— Je vois que vous n'ignorez rien des usages en vigueur dans les hôtels borgnes !

— L'expérience m'a appris que l'argent ouvrait toutes les portes.

— Le vôtre vous facilite vraiment la vie, n'est-ce pas, monsieur Bowden ?

Prenant, sur une étagère, le billet de dix livres qu'il avait jeté sur son lit, elle le lui lança.

— Vous l'avez oublié ici lors de votre dernière visite.

Il laissa le billet tomber à ses pieds sans même le regarder.

— L'argent... dit-il d'un air sombre. Il m'apporte bien des ennuis. Il n'attire que les gens avides et dénués de sens moral...

— Si vous faites allusion à moi, je vous rappelle que ce n'est pas Sean qui a attiré mon attention. C'est moi qui ai attiré la sienne. J'essaie en vain de me débarrasser de lui depuis le début. Quant à vous, je ne vous ai jamais rien demandé !

— Vous avez pourtant accepté l'invitation d'un homme qui ne cachait pas ses intentions ?

— C'était le seul moyen d'en finir avec vous.

— Assez bavardé. Nous savons tous les deux pourquoi je suis là.

— Je n'en ai pas la moindre idée. Dites-le-moi vite et allez-vous-en !

— Vous avez réussi à dresser Sean contre sa famille, contre moi. Par votre faute, il a négligé ses études et s'est endetté jusqu'au cou pour acheter une voiture. Et maintenant, il veut vous épouser et disparaître en Italie avec vous.

— Il ne veut pas disparaître, il veut devenir metteur en scène ! Votre frère est atteint d'un mal qui semble faire des ravages dans la famille Bowden : l'ambition.

— Ecoutez, je sais que seul l'argent vous intéresse. Aussi, je vous en prie, prenez l'argent et laissez Sean tranquille. Quel est votre prix ?

Interdite, le cœur battant, Laura sentait la colère l'envahir devant cet homme qui osait lui faire une telle proposition. Quelle arrogance ! Comme il la méprisait !

— Essayez-vous de m'acheter ? demanda-t-elle, espérant encore avoir mal compris.

— Exactement. Combien voulez-vous pour vous éloigner à jamais de nos vies ?

— Je vous retournerais volontiers la question si, moi aussi, j'avais les moyens d'acheter les gens !

— Vous savez certainement à combien s'élève la fortune de Sean et il a dû vous dire qu'il ne pourrait en disposer avant d'avoir vingt-cinq ans. C'est long, cinq ans... Je vous offre dix mille livres si vous quittez la ville sans le revoir. Vous me signerez un reçu que je ne montrerai à Sean que si vous revenez. Je veux lui prouver que vous n'êtes pas pour lui, le guérir de vous à jamais.

Il se leva et lui tendit un chèque de dix mille livres. Elle l'accepta et, souriante, le déchira en mille morceaux.

— Vous me sous-estimez, monsieur Bowden. Voilà ce que je pense de votre offre !

— Elle est pourtant généreuse. Je vous avertis que vous n'obtiendrez pas un sou de plus.

— J'ai refusé une bague dont le diamant vaut infiniment plus que ça !

— C'est vrai mais vous n'auriez rien pu en tirer. Elle appartient à notre famille à perpétuité. Nous n'avons pas le droit de la vendre. Vous êtes trop expérimentée pour ne pas y avoir pensé...

Laura avait conscience qu'elle n'était pas de taille à lutter, mais elle s'obstinait, résolue à résister aussi longtemps que possible.

— En effet. Le détournement de mineurs est ma spécialité et je sais que je pourrai mettre la main sur toute la fortune de Sean quand il aura vingt-cinq ans. Vous savez, dans cinq ans, je serai encore assez jeune pour en profiter pleinement... D'ici là...

— ... Vous n'aurez pas un sou ! Les biens de Sean sont sous mon contrôle. Je lui couperai les vivres !

— Comme je m'apprêtais à le dire avant d'être aussi grossièrement interrompue, d'ici là... Sean va faire de moi une star de cinéma, déclara-t-elle d'un air triomphant.

Richard devint livide et, voyant cela, elle poursuivit de plus belle sur ce thème.

— Laura Bowden, la révélation de l'année! Oh! n'ayez pas peur, je ne déshonorerai pas votre nom! N'oubliez pas que mon frère est pasteur... il ne le permettrait pas. Je refuserai de tourner nue, à moins, bien sûr, qu'il s'agisse de scènes absolument nécessaires. Que pensez-vous des photos de nus, monsieur Bowden? Vous les trouvez vulgaires? Je pense que si, au lieu de la traditionnelle feuille de vigne, nous mettions le blason de votre famille au bon endroit, ce serait en effet bien plus distingué. Qu'en pensez-vous?

Il bondit sur ses pieds, comme s'il allait la frapper et, debout tout près d'elle, il déclara, menaçant:

— Si vous osiez faire une chose pareille, je vous poursuivrais en justice pour détournement de mineur!

— Allons donc! Ma défense est toute prête: je vous accuserais de corruption! Dix mille livres. Dites donc, vous me prenez pour un amateur?

— Quel est votre prix? Je donnerais n'importe quoi pour me débarrasser de vous.

— Voilà qui est mieux! Vous devenez raisonnable. Combien avez-vous acheté l'aciérie de Manchester la semaine dernière?

— Vous êtes bien renseignée.

— Les affaires sont les affaires. Que diriez-vous de cinquante mille livres?

— Je pourrais engager un tueur pour moins que ça! Je rendrais par la même occasion un fameux service à la société!

— Un double service, monsieur Bowden, puisqu'on vous mettrait en prison, fit-elle avec un sourire narquois.

— Cinquante mille livres... non, je refuse ! Vingt-cinq mille ?

— Je suis comme vous. Je ne prends jamais une décision importante sans réfléchir. On dit que la nuit porte conseil. Je vous donnerai ma réponse demain. Allons nous coucher, maintenant.

Il lui adressa un regard interrogateur où brillait une étrange lueur.

— Non, pas ensemble, précisa-t-elle très vite. Je ne donne que des leçons d'orgue, rien d'autre.

Mais elle avait fugitivement pensé au corps de Richard contre le sien, ce qui lui mit le feu aux joues.

— Quel dommage que mon frère n'ait pu entendre cette discussion ! Il saurait à quoi s'en tenir, dit-il.

— C'est vrai. J'aurais moi-même aimé l'enregistrer !

— Pourquoi ? Le chantage est une autre de vos spécialités ?

— Non, mais vous me donnez une excellente idée !

Il se dirigea vers la porte.

— Je vous appelle demain.

— Vous oubliez vos dix livres, monsieur Bowden, dit-elle en montrant le billet.

— Maintenant que vous l'avez touché, il me brûlerait les doigts ! lança-t-il avant de sortir.

Le billet resta toute la soirée par terre, à côté du chèque déchiré. Hors d'elle, Laura leur jeta de fréquents coups d'œil indignés.

Comment avait-il osé lui faire une offre pareille ? Malgré tous ses efforts pour décourager Sean, elle n'avait encore qu'à lever le petit doigt pour l'épouser. Ce mariage serait une vengeance idéale, une bonne leçon pour Richard! Oui, mais pourrait-elle passer sa vie à narguer l'arrogant Richard Bowden? Bien sûr que non. Que ferait-elle si, demain, il se présentait avec le chèque promis? Vingt-cinq mille livres! C'était une véritable fortune... Comme il devait la détester!

Et tout ça parce qu'elle avait été gentille avec un petit étudiant amoureux d'elle, puis avec un homme qu'elle avait pris pour un étranger. Tout était de leur faute. Elle dirait à Richard qu'elle ne voulait rien de lui, qu'elle ne voulait plus jamais les revoir, ni lui ni son frère.

Le mercredi, à la sortie de ses cours, Laura aperçut Sean à travers la porte vitrée de l'entrée et fit aussitôt demi-tour pour sortir par-derrière. Elle prit le bus pour aller chez Francis où elle passa la soirée. Le jeudi, elle reçut un mot de Richard l'informant qu'il l'attendait vendredi à trois heures, à son bureau, pour conclure leur marché. Indignée, elle lui téléphona mais une secrétaire lui apprit qu'il était en réunion.

Le vendredi, ses cours finissaient à midi mais elle ne se rendit pas au rendez-vous. Elle rentra chez elle et verrouilla la porte, résolue à ne laisser entrer aucun des frères Bowden. A trois heures et quart, le téléphone sonna pour la première fois puis à nouveau toutes les dix minutes pendant une heure. Sachant que c'était Richard et certaine qu'il allait arriver, elle mit sa robe la plus sage afin qu'il ait plus honte encore de sa méprise lorsqu'elle lui rendrait son chèque.

Il ne vint pas.

S'était-il enfin rendu compte qu'elle ne représentait aucune menace pour lui et son frère?

Le samedi, elle devait assister au mariage de sa cousine Anne. Francis et Mavis l'invitèrent à passer le week-end chez eux et, dans un accès de découragement, elle accepta. Son travail au club lui manquait. Ses soirées solitaires lui pesaient de plus en plus. Comme il faisait très beau, elle choisit son tailleur de soie bleu marine, roula ses cheveux en chignon et y planta une rose de soie blanche. Elle était prête. Elle allait appeler un taxi quand on frappa à la porte.

Richard...! Laura sentit son cœur bondir dans sa poitrine. Peut-être avait-il appris la vérité et venait-il s'excuser... Il la conduirait à l'église en voiture et, ce soir, il l'inviterait à dîner. Ils iraient même aux *Caves de France* en souvenir du passé et riraient ensemble de cette malheureuse histoire...

Tous ces rêves s'effondrèrent dès qu'elle vit, sur le seuil, la silhouette dégingandée de Sean. Il entra et lança sa veste sur une chaise.

— Bonjour, Laura. Mon silence a dû vous étonner mais je suis allé plusieurs fois vous chercher à l'Académie, j'ai essayé de vous téléphoner... sans jamais vous trouver. Est-ce que vous cherchez à m'éviter ? C'est ce que pense Richard.

Il sourit de ravissement devant l'élégance de sa toilette et de sa coiffure.

— Ne me parlez surtout pas de votre frère, ordonna-t-elle. Vous vous êtes réconciliés ?

Prenant le sac de confettis posé sur la table, il fronça les sourcils.

— Non. Je lui ai dit que rien ne m'empêcherait de vous épouser même si notre voyage en Italie est reporté... Avant de m'embaucher, ils veulent que je finisse mes études. Nous devrons rester à Londres une année de plus. Mais ne vous en faites pas ! Je vous trouverai quand même quelque chose. On tourne beaucoup de films, à Londres.

— On les tournera sans moi, en tout cas.

— Je n'essaie pas de me défiler, Laura... Je tiendrai ma promesse ! Mais il vaut peut-être mieux attendre la fin de mes études. J'aurai du mal à payer un appartement pour deux... En ce moment, je vis avec Richard, vous savez. Ça ne me coûte rien. D'ailleurs, il refuse de me donner de l'argent avant mes vingt-cinq ans et je dois aussi rembourser le crédit de ma voiture...

— Rassurez-vous. Je n'ai aucune envie de vous épouser. Il faut que je file, Sean. Je vais à un mariage.

— Le mariage de qui ? demanda-t-il d'un air soupçonneux. Vous êtes si belle, aujourd'hui...

Il tripotait nerveusement le sac de confettis.

— Le mariage de ma cousine. Comme je vais tenir l'orgue, il faut que j'arrive en avance. J'allais appeler un taxi.

— Je vous emmène ! Je n'ai rien à faire cet après-midi.

— Très bien. Je prends mes gants et nous partons. Faites attention avec ces confettis, s'il vous plaît. Ne les renversez pas...

Il posa docilement le sac. Il l'avait troué avec son pouce et quelques confettis jonchaient déjà le sol. Il s'empressa de les dissimuler sous ses semelles.

— Je suis prête, annonça-t-elle presque aussitôt. Allons-y.

Elle prit les confettis et remarqua qu'il y en avait sur la table.

— Quel enfant vous faites, Sean ! s'écria-t-elle, agacée, en enveloppant le sac troué dans un mouchoir.

Il la suivit, si confus qu'il en oublia sa veste sur la chaise. Et lorsque, dans l'escalier, ils croisèrent la voluptueuse rousse dont les activités scandalisaient Jerry, Sean la regarda avec une admiration non dissimulée.

— Bonjour, Laura. Quelle élégance aujourd'hui ! s'écria-t-elle.

— Nous allons à un mariage, répondit Laura.

Elle entretenait avec ses voisines des rapports polis mais prudemment distants.

— Il y a encore des gens qui se marient ? C'est tellement démodé ! déclara la rousse avec un clin d'œil complice à Sean. Vous n'êtes pas le marié, j'espère ?

— Moi ? Non ! Oh non !

— Tant mieux ! A bientôt ?

Il la suivit du regard aussi longtemps qu'il le put. Il conduisait comme un fou mais ils atteignirent l'église sans encombre.

— Nous sommes en retard, s'inquiéta Laura. Regardez ! La mariée arrive... Je monte tout de suite à l'orgue !

— Attendez ! Je vous accompagne !

— En bras de chemise ?

— Il doit y avoir une veste dans le coffre...

Il la rejoignit un instant plus tard.

— Ça ne vous dérange pas si je reste ? Ça peut me servir un jour pour mettre en scène un mariage...

— Vous pouvez rester à la seule condition de ne pas me parler. J'ai besoin de concentration.

Il se tut sagement, contemplant Laura particulièrement ravissante avec cette rose qui mettait en valeur la blondeur argentée de ses cheveux. Les vitraux divisaient la lumière en faisceaux, donnant à toute la scène une atmosphère irréelle.

Dans le miroir suspendu au-dessus de l'orgue, Laura vit Francis lui donner le signal du départ. Aussitôt, les accords solennels de *Lohengrin* s'élevèrent dans l'église pleine à craquer. Tous les yeux fixaient la mariée qui allait lentement vers l'autel, au bras de son père.

A la fin de la cérémonie, c'est au bras de son époux qu'elle fit le chemin en sens inverse. Ce jeune couple rayonnant de bonheur émut Laura aux larmes. Oui, pour que deux êtres décident de passer leur vie ensemble, ils devaient éprouver un amour total, une confiance absolue l'un envers l'autre... Elle se demanda tristement si cela lui arriverait un jour.

— Je descends pour les voir sortir, chuchota Sean en allant se mêler à la foule des invités.

Laura acheva de jouer le grand final et elle ramassait ses partitions quand Francis apparut.

— Ils vont prendre des photos devant l'église. Ensuite, tout le monde se réunira dans le hall pour la réception. Ça s'est bien passé, non ?

— Très bien. Mais quand tu en viens à dire « qu'il parle maintenant ou se taise à jamais », j'ai toujours peur que quelqu'un se lève et provoque un scandale ! Est-ce déjà arrivé ?

— Jamais. Heureusement ! Je me demande bien ce que je ferais.

— Tu ne le sais pas ? demanda-t-elle en riant.

— Non. Je serais sans doute obligé de l'écouter même si j'ai affaire à un fou ! Tiens, je t'ai apporté un nouveau morceau. J'aimerais que tu le joues demain.

Elle parcourut la partition avec intérêt.

— Ça n'a pas l'air trop difficile, dit-elle. J'aimerais quand même l'étudier un peu avant demain.

— Maintenant, si tu veux. Tu as le temps pendant qu'ils prennent les photos. Bon, il faut que je file.

Il disparut dans l'escalier. Laura joua plusieurs fois le morceau pour s'en imprégner. Lorsqu'elle releva la tête, Sean était là.

— La mariée est adorable ! s'exclama-t-il. Vous la connaissez ?

— Oui, c'est ma cousine, Anne Ogilvie. Anne Norris désormais. C'est curieux de la voir mariée... Elle a toujours été un vrai garçon manqué !

— Elle ressemble à un ange, soupira-t-il. C'est beau un mariage... Le rituel, la musique, les fleurs... A propos, j'ai cueilli cette fleur pour vous. Beaucoup de femmes en portent. Pourquoi pas vous ?

— Parce que je ne suis ni la mariée ni une demoiselle d'honneur, répondit-elle en glissant la jonquille à la boutonnière de son corsage. Qu'allez-vous faire maintenant, Sean ?

— Rentrer chez moi, je pense. Que dois-je faire de votre sac de voyage ? Il est resté dans ma voiture.

— Je vais le laisser au presbytère. Je...

Elle s'interrompit à temps. Il ne fallait pas qu'il sache où elle passait le week-end.

— Oui ? demanda-t-il.

— Je le reprendrai après la réception.

— Vous partez en week-end ?

— Non.

Il n'insista pas, ce qui prouvait clairement que ses faits et gestes ne l'intéressaient plus du tout.

— Vous ne voulez toujours pas m'épouser, Laura ?

— Non. Il est temps de mettre un terme à notre... aventure.

Ce mot lui déplaisait mais elle n'en trouva pas d'autre.

— Vous avez raison, reconnut-il avec un petit sourire triste. Ça n'aurait pas marché. Je suis désolé, Laura. Vous avez eu beaucoup d'ennuis à cause de moi...

— Ne vous inquiétez pas. Ça ira.

Ils descendirent l'escalier et se retrouvèrent dans une petite pièce éclairée seulement par une lucarne.

— Je pensais, Laura... Depuis que je vous connais... je ne vous ai pas embrassée... pas même une fois...

103

— C'est vrai. Alors... on s'embrasse pour sceller la fin de toute cette histoire ?

Une sorte de nostalgie l'avait envahie. Bien que terriblement encombrant, Sean était un brave garçon, doux et attentionné.

— Oui, souffla-t-il.

Il la prit par les épaules et déposa sur ses lèvres un petit baiser très chaste, bien différent des étreintes passionnées de son frère. Puis il la regarda droit dans les yeux.

— Je n'aurais jamais cru...

Il ne put achever sa phrase. La porte s'ouvrit violemment et Richard Bowden parut. On ne pouvait voir son visage dans la pénombre, mais tout en lui disait qu'il était dans une terrible colère. Sean lâcha immédiatement Laura qui, en un éclair, comprit qu'une scène effroyable était sur le point d'éclater.

— Vous feriez mieux de partir, Sean, dit-elle tout bas mais calmement.

— Oui. Je... je vais chercher votre sac...

— Tu ne perds rien pour attendre ! lui lança son frère en le fusillant du regard.

Laura était seule avec Richard.

— Nous ne pouvons pas rester ici, commença-t-elle en faisant un pas vers la porte.

Il posa sur son bras une main lourde.

— Pas si vite ! dit-il d'un ton cinglant.

Elle leva les yeux vers lui et son visage l'effraya. Semblable à un masque diabolique — ses yeux comme deux trous noirs, sa bouche comme une balafre — dans l'obscurité.

— J'ai perdu une bataille mais je n'ai pas perdu la guerre ! Vous n'aurez ni Sean ni les vingt-cinq mille livres. Je crierai la vérité ! Vous n'êtes qu'une aventurière, une voleuse ! J'ai horreur de perdre, sachez-le. Mes avocats m'ont assuré que j'avais un recours. Vous avez pris mon frère au piège.

— C'est un affreux malentendu ! Je n'ai pas...

— Si ! Vous l'avez pris au piège !

— Vous faites une grossière erreur, protesta-t-elle.

— Vous en avez fait une plus grossière encore, répliqua-t-il, blême de fureur. Vous vous êtes trompée, Laura. L'héritier de Hazelhurst, c'est moi ! L'héritier du titre et des biens de mon père, c'est moi ! La fortune de Sean ne sera rien comparée à la mienne !

— Je n'ai pas... reprit-elle, horrifiée.

Mais elle en avait trop sur le cœur pour continuer.

Il la dévisagea un moment puis déclara d'un ton las, comme s'il se forçait à parler :

— Il y a quand même un détail qui me chiffonne. Moi aussi, je vous ai demandée en mariage. Pourquoi avez-vous préféré Sean ? Malgré mes soupçons, je voulais vous épouser, Laura. Vous me teniez dans le creux de votre main. Vous connaissiez pourtant mon identité ? Vous saviez que j'étais riche ?

Trop indignée pour comprendre qu'un immense chagrin se dissimulait derrière la colère de Richard, elle s'écria :

— Richard Bowden ne m'a jamais demandée en mariage, que je sache. Je me souviens par contre d'un certain Henri Dufresne... Il a voulu me jouer un vilain tour et je n'ai fait que lui rendre la monnaie de sa pièce.

— Vous êtes allée trop loin, Laura. Et j'ai failli vous épouser ! Oh ! je savais bien que vous n'aimiez que l'argent. Comme toutes les femmes que je connais, d'ailleurs. Vous ne valez pas mieux qu'elles. J'avoue que je me suis laissé prendre à votre comédie... « J'ai si peur... Je ne fais pas souvent ça... » Vos battements de cils, vos lèvres tremblantes, rien n'y manquait ! Vous êtes une remarquable comédienne !

Epouvantée, Laura frissonna.

— Même si vous possédiez la terre entière je ne voudrais pas de vous. Vous êtes odieux ! dit-elle.

Dire qu'elle avait un moment espéré une réconciliation ! Il reprit, glacial.

— Je vais ramener Sean à Hazelhurst. N'approchez pas de lui ou je vous fais arrêter ! Vous recevrez bientôt la lettre d'annulation du mariage et estimez-vous heureuse qu'elle ne soit pas accompagnée d'une convocation au commissariat ! Je ne veux plus jamais vous revoir ni entendre prononcer votre nom. Oh, il vaut mieux que je m'en aille... je sens que je vais vous étrangler !

Il la repoussa violemment et sortit en claquant la porte. Laura sentit ses jambes se dérober sous elle. Tremblant de tous ses membres, elle alla s'asseoir sur un banc. Elle mit très longtemps à apaiser sa colère et, alors, le regret l'envahit.

Une phrase de Richard lui revenait sans cesse en mémoire. « Vous me teniez dans le creux de votre main... » Pourquoi ne s'en était-elle pas doutée ? Il avait dit cela avec une fureur qui prouvait sa sincérité.

Maintenant, il était parti. Pour toujours. Elle ne le reverrait jamais. Elle se sentait vidée. Trop désespérée pour pleurer. Elle avait l'impression d'avoir perdu un membre, une partie essentielle d'elle-même sans laquelle elle était incapable de faire face au monde.

Chapitre sept

Bien entendu, Laura ne reçut pas d'avis d'annulation de son mariage avec Sean puisqu'elle ne l'avait pas épousé. Ce dernier avait naturellement expliqué à Richard sa terrible méprise. Le premier jour des vacances d'été, le facteur lui apporta une lettre qu'elle ouvrit le cœur battant. C'était un message poli, froid et distant.

« Chère mademoiselle Talmadge, je veux vous exprimer ici mon profond regret pour le malentendu de l'autre jour. Sean se joint à moi pour vous présenter nos plus sincères excuses. Nous espérons que vous oublierez vite cet incident fâcheux. Sincèrement, Richard Bowden. »

C'était tout. Ils avaient mis sa vie sens dessus dessous. Par leur faute elle avait perdu son travail, vécu dans une perpétuelle angoisse, été l'objet des pires insultes. Et pour eux, tout cela n'était qu'un « incident fâcheux » ! Elle fut un instant tentée de chercher un travail en province pour l'été. Mais on demandait apparemment autant d'organistes que de dentellières ou de dresseurs de puces !

Un jour, elle rendit visite à Vera et Jerry.

— Pourquoi ne pas revenir chez nous ? proposa Vera.

— Oui, renchérit Jerry. Nous avons embauché un type qui ne connaît que six morceaux et qui les joue mal !

— Je ne sais pas. On rencontre des gens si bizarres dans un club...

— Je sais à qui vous faites allusion, dit Vera. Rassurez-vous. Les Bowden n'ont pas remis les pieds ici. Réfléchissez bien. Nous vous accueillerons à bras ouverts.

— Je pourrais même vous faire une petite rallonge de deux livres par semaine, promit Jerry.

Il se garda bien d'avouer à Laura que son absence lui faisait perdre beaucoup plus que cela. Depuis son départ, plusieurs clients avaient déserté les *Caves de France* quant aux autres, ils ne cessaient de la réclamer.

En désespoir de cause, Laura finit par accepter. Francis et Mavis, qui ignoraient toute l'étendue de ses déboires avec les Bowden, l'approuvèrent. Avec l'arrivée de l'été, le problème de sa garde-robe ne tarda pas à se poser. Jerry avait beau vanter la climatisation de son club, elle souffrait de la chaleur dans ses robes d'hiver. Elle acheta deux robes neuves. La première était noire avec un décolleté audacieux, parfaite pour le samedi. L'autre était en soie blanche avec de fines bretelles tressées. Pour les étrenner, Laura inaugura une nouvelle coiffure : elle rassembla ses cheveux au sommet de sa tête, laissant de courtes boucles folles encadrer son visage.

Ainsi coiffée, dans sa robe blanche, sophistiquée et romantique, elle était très en beauté en montant sur scène, le vendredi suivant. Tout en jouant elle parcourut la salle des yeux et remarqua qu'une table était occupée par un groupe de clergymen. Voilà qui ne devait pas plaire aux serveuses... Heureusement, ils ne s'attardaient jamais et libéraient leur table assez vite. Pas loin de la scène, il y avait des Américains. Eux, en revanche, étaient toujours les bienvenus ; ils dépensaient beaucoup, ne lésinaient pas sur les pourboires et avaient des manières amicales et ouvertes. Laura sourit en voyant une serveuse s'empresser auprès d'eux. Puis elle scruta le fond de la salle. C'était curieux... Il y avait un client dont la carrure, l'allure étaient exactement celles de Richard Bowden... Une blonde platinée en robe noire lui laissant une épaule nue l'accompagnait. Laura détourna aussitôt la tête. Non, ce ne pouvait être lui... Pourquoi viendrait-il ici ? N'avait-il pas déclaré qu'il ne voulait plus jamais la revoir ? Son imagination lui jouait des tours...

Quand elle remonta sur scène pour son second passage, un serveur lui tendit un papier plié et un billet de cinq livres. Elle reconnut aussitôt l'écriture de Richard Bowden qui avait écrit simplement : *La Vie en rose.*

— Rendez cet argent à ce monsieur, dit-elle. Dites-lui que je ne joue pas à la commande.

— C'est impossible, Laura ! Je viens de lui dire le contraire et il m'a donné une livre rien que pour vous faire passer le message !

— Tant pis. Rendez-lui son argent et dites-lui que je ne connais pas le morceau qu'il demande.

— Mais vous l'avez déjà joué !

— Eh bien ! Je ne le joue plus ! répliqua-t-elle avec colère.

Ebahi, le serveur haussa les épaules et repartit vers la table de Bowden. Richard dîna tranquillement et disparut avec sa compagne.

Laura était folle de rage. Croyait-il qu'il suffisait d'un billet de cinq livres pour l'amadouer ? Dans la cuisine, elle tomba sur Roy, le serveur qui avait fait la commission.

— Comment va la millionnaire ? demanda-t-il. Vous êtes folle d'avoir refusé !

— Qu'est-ce qu'il a dit ? fit-elle d'un air faussement dégagé.

— Il était désolé que vous refusiez. Jerry ne va pas être content... On ne refuse rien à un client comme Richard Bowden.

Mais Jerry ne lui fit aucune remarque.

Le lendemain soir, samedi, elle mit sa robe noire et ne put s'empêcher de se demander si Richard allait revenir. Jerry approuva chaudement sa nouvelle toilette.

— Vous êtes ravissante, mon chou ! Si Bowden revient, traitez-le un peu mieux qu'hier soir... Il peut nous faire une excellente publicité. Vous savez qui l'accompagnait hier ? Une lady ! Vera a vu leur photo dans le journal. C'est lady Althea Reidel... Ce qui vous est arrivé avec lui est de l'histoire ancienne, maintenant. Vous ne pouvez plus lui en vouloir, n'est-ce pas ?

— Non, vous avez raison, mentit-elle.

Jerry et Vera étaient excusables car ils ne connaissaient évidemment pas toute l'histoire.

Elle avait l'intuition que, ce soir, Richard serait là. En venant avec une femme, il lui avait fait savoir qu'elle ne l'intéressait plus. Mais dans ce cas pourquoi était-il revenu aux *Caves de France* ? Son intuition l'avait trompée. En montant sur scène, elle vit qu'il n'était pas dans la salle et en éprouva autant de soulagement que de déception. Elle ne remarqua pas tout de suite qu'un serveur escortait Richard jusqu'à la table la plus proche de l'orgue. Il était seul. Laura fut prise de panique lorsqu'il s'installa sans lui prêter la moindre attention. Elle se ressaisit aussitôt : elle était ici pour jouer. Il dîna avec le plus grand calme, comme s'il ne l'avait jamais vue de sa vie. Il ne tenta pas de lui adresser la parole, mais elle sentit très souvent l'intensité de

110

son regard sur elle. Elle saluait, à la fin de son dernier passage, quand il quitta le restaurant.

Laura ne savait que penser. Allait-il essayer de venir chez elle pendant le week-end ? Mais non. La seule chose qu'elle vit de lui fut sa photo dans le journal, lady Althea tout sourires à son bras. Ils étaient les invités d'honneur d'un gala de bienfaisance.

Le vendredi suivant il revint aux *Caves de France*. Seul. Persuadée qu'il ne venait que pour la narguer, Laura décida de lui rendre la pareille. Malgré sa résolution de ne plus jamais s'asseoir à la table d'un client, ce vendredi-là, elle changea d'avis. Elle aperçut devant la scène un homme d'une quarantaine d'années à l'air inoffensif et plutôt séduisant. Dans son effort de paraître jeune, il portait les cheveux longs. Elle hésita un peu à cause de ses vêtements voyants mais pas longtemps car il avait eu la bonne idée de choisir la table la plus proche de celle de Richard. Elle le regarda souvent et, bientôt, il s'approcha d'elle pour l'inviter.

Son haleine empestait l'alcool.

— Avec plaisir, répondit-elle en souriant. Mais rien qu'un verre...

Elle le suivit, remarqua l'œil désapprobateur de Richard mais passa devant lui en faisant semblant de ne pas le voir.

— Qu'est-ce que ce sera pour la petite demoiselle ? demanda l'homme d'une voix tonitruante.

— Un verre de vin rouge...

— Ah non ! Du champagne. Je viens de conclure une affaire très importante. Je m'appelle Ernest McLaughlin, de Reading. Vous avez sûrement entendu parler des quincailleries McLaughlin ? J'en ai six, entre Reading et Londres. Et je viens d'obtenir l'exclusivité des outils Belter ! Mes magasins seront les seuls à les vendre à cent kilomètres à la ronde ! Ça s'arrose, ça ! Comment vous appelle-t-on ?

— Laura.

Elle aurait bien voulu qu'il parle un peu plus bas.

— Quel joli nom !

Il commanda une bouteille du meilleur champagne et, lorsque leurs coupes furent pleines, il s'écria gaiement :

— Cul sec !

— A votre succès, dit-elle en levant son verre.

Il leva le sien de la main tremblante d'un homme passablement éméché.

— A mon succès ! Je vais ouvrir deux autres magasins. Un à Newbury et un autre à Chesham. Oh ! il y a de l'argent à gagner dans la quincaillerie, mademoiselle !

Elle ne savait que dire, ne songeait déjà qu'à fuir ce commerçant un peu trop heureux à son goût.

— Oui, je suis sûr que ça vous plairait, reprit-il avec un clin d'œil avant de fixer avec insistance le décolleté de Laura. On peut dire que vous savez choisir les hommes, vous ! On voit tout de suite que vous repérez à cent mètres les portefeuilles bien garnis ! Le mien est plein à craquer, ce soir, dit-il en tapotant sa poche.

Elle avala une gorgée de champagne. Plus vite elle boirait cette coupe, plus vite elle pourrait s'en aller. Voilà qu'il se lançait dans des compliments tout à fait fous, comparant sa beauté à celle de Marilyn Monroe.

— Dès que je vous ai vue, je me suis dit, Ernest, mon garçon, voilà celle qu'il te faut pour ce soir !

Elle posa son verre et se leva.

— Merci pour le champagne. Il était délicieux.

Il la saisit par les poignets.

— Ah ! mais non, mademoiselle ! A quelle heure sortez-vous ?

112

— Je dois m'en aller, dit-elle en essayant de se dégager.

Mais il la tenait fermement.

— Vous n'avez pas répondu à ma question ?

— Lâchez-moi ! murmura-t-elle.

Apeurée, elle cherchait un serveur des yeux lorsqu'une épaule familière surgit soudain derrière elle.

— Cette demoiselle souhaite s'en aller, fit Richard.

— De quoi vous mêlez-vous ? demanda McLaughlin avec mépris. Et d'abord, qui êtes-vous ?

— Quelqu'un qui va vous envoyer au tapis dans moins de dix secondes !

McLaughlin repoussa violemment sa chaise et heurta Laura qui dut s'agripper à la table pour ne pas perdre l'équilibre. Une étincelle meurtrière brillait dans les yeux sombres de Richard. Elle le sentait prêt à bondir, comme un animal sauvage.

— C'est ce que nous allons voir ! s'écria le quincaillier.

Il leva le bras et frappa Richard au menton, ce qui projeta celui-ci en arrière mais eut surtout l'effet de porter sa colère à son comble.

Terrorisée, Laura le vit s'élancer... Aussitôt, le sang ruissela sur le visage de McLaughlin. Deux jeunes gens assis tout près se levèrent pour maîtriser Bowden.

— Ne me touchez pas ! gronda-t-il.

— Si vous cherchez la bagarre, ayez au moins le courage de vous attaquer à quelqu'un de votre âge !

Furieux, Richard ne se le fit pas dire deux fois. D'un coup de poing violent, il envoya le jeune homme valser contre une table. Des femmes se mirent à crier tandis que les hommes se levaient pour les protéger. Certaines, plus curieuses, grimpèrent sur leur chaise pour ne rien perdre du spectacle.

Un serveur sortit en courant dans la rue et héla une voiture de police qui passait. Les policiers firent bientôt irruption dans la salle et séparèrent les combattants. Après un bref interrogatoire des témoins, Richard, Ernest McLaughlin et Laura furent emmenés au commissariat.

Quand Richard comparut devant l'officier de police, il avait eu le temps de se ressaisir. D'un ton poli mais hostile, il déclara qu'il ne portait pas plainte contre McLaughlin qui, pourtant, avait frappé le premier. On les relâcha tous les trois en leur conseillant de ne pas recommencer.

— Je vais vous ramener chez vous en taxi, Laura, dit Richard. Ma voiture est restée au club.

— Sûrement pas, intervint McLaughlin. C'est à moi de la ramener !

Entre deux maux, Laura choisit le moindre. Elle s'empara en hâte du bras de Richard et le suivit dans la rue. Ayant arrêté un taxi, il la poussa sans ménagement à l'intérieur.

— Vous pouvez être fière de vous, commença-t-il, furieux, dès qu'ils furent seuls.

— Si vous n'étiez pas intervenu, il ne se serait rien passé. Je m'apprêtais à partir.

— Votre quincaillier avait d'autres idées en tête. Ce scandale est de votre faute. Quelle idée d'accepter l'invitation de ce pauvre type soûl comme une barrique !

— Si vous vous occupiez de ce qui vous regarde ?

— Quelle gratitude !

— Que faisiez-vous au club ? Je croyais que vous aviez juré de ne plus jamais me revoir !

— Vous n'imaginez tout de même pas que j'y suis allé pour vous ?

— Ah ! Je sais... Vous faites les repérages pour

votre film! La vedette en sera sans doute le laideron qui vous accompagnait avant-hier soir!

— Lady Althea Reidel n'est pas un laideron.

— Ah non? Elle n'est plus toute jeune, en tout cas.

— Je doute, en effet, qu'elle plaise à votre quincaillier! Lui, il aime les femmes vulgaires. Comme vous.

— Je n'ai jamais prétendu être une lady mais, si tous les lords vous ressemblent, je préfère mille fois la vulgarité!

— Lady Althea avait raison. Savez-vous ce qu'elle m'a dit de vous? « Jolie fille. Malheureusement, elle manque d'éducation. »

— Eh bien, dites-lui de ma part que si elle a — peut-être! — de l'éducation, elle n'est vraiment pas jolie fille. A choisir, je préfère encore ma situation.

— L'un n'empêche pas l'autre, vous savez. Et, à mon avis, lady Althea est aussi raffinée que belle.

— Je me demande comment vous avez pu supporter l'absence de cette pure merveille, ces derniers soirs!

— Si vous tenez à le savoir, je ne suis venu au club que pour montrer à votre patron que je ne lui en voulais pas.

— Une seule visite aurait suffi.

Quand le taxi s'arrêta devant chez elle, il déclara :

— Vous devriez déménager. Cette maison est un vrai taudis.

— J'ai réservé une suite au palais de Buckingham, assura-t-elle. Je m'y installe d'un jour à l'autre.

Il sortit du taxi et fit mine de payer le chauffeur.

— Vous feriez mieux de le garder, dit-elle.

— Je vous raccompagne jusqu'à votre porte.

— Merci. Je connais le chemin.

— J'aimerais vous parler en tête à tête, Laura.

— Je les connais, vos tête-à-tête, monsieur Bowden ! Bonne nuit.

Elle tourna les talons, courut vers la porte, monta l'escalier quatre à quatre et s'enferma chez elle. Elle avait le cœur battant, les jambes tremblantes.

Pourquoi avait-elle accepté de s'asseoir avec ce maudit quincaillier ? Pour exciter la jalousie de Richard, elle devait bien le reconnaître. Et, loin de le rendre jaloux, elle était tombée encore plus bas dans son estime. Les paroles de lady Reidel lui revinrent à la mémoire. « Cette fille manque d'éducation. » Elle l'aurait volontiers étranglée, cette lady Reidel ! Comment osait-elle juger ainsi quelqu'un dont elle ignorait tout ? Ils n'étaient venus au club que pour se moquer d'elle...

Une fois de plus elle contempla la photo de Richard et de lady Althea qu'elle avait découpée dans le journal. Loin d'être belle, lady Althea avait de la classe. Exaspérée par son sourire condescendant, Laura déchira la photo et la jeta à la poubelle.

Le lendemain, Jerry lui téléphona pour l'avertir que, si elle continuait dans cette voie, il serait obligé de se passer de ses services.

— Je n'y suis pour rien ! protesta-t-elle. Mais vous n'avez pas besoin de me renvoyer, Jerry. Je démissionne !

Elle raccrocha sans lui laisser le temps de répondre. Il rappela aussitôt pour lui dire qu'elle ne recevrait pas ses cachets de la semaine. En effet, par sa faute, ni Bowden ni McLaughlin n'avaient réglé leur note.

— Vous n'avez qu'à faire payer Bowden ! Il en a les moyens. Si je ne touche pas mon argent, je fais un procès !

Ce jour-là, l'affaire Bowden faisait les gros titres de tous les journaux à scandale. « Le grand industriel Richard Bowden se bagarre dans un bar pour une blonde »... C'était le genre de phrase qui s'étalait en première page. Un journal publiait même une vieille photo de Richard en train de serrer la main du Premier ministre, à côté d'un cliché de la devanture des *Caves de France* où l'on voyait le visage de Laura. L'article grossissait l'événement jusqu'à la caricature sans aucun souci de vérité. On y donnait les témoignages de serveurs et de clients qui assuraient que Bowden venait tous les soirs au club dans l'espoir de séduire la belle organiste, appelée ici « la blonde ». L'article mentionnait aussi sir Greville Bowden et Hazelhurst. Laura savait que Richard lui en voulait à mort pour cette histoire qui éclaboussait sa famille.

C'était sa voisine qui lui avait apporté le journal.

— Quelle aubaine, Laura ! C'est la chance de votre vie. Après un coup de publicité pareil, vous êtes sûre de passer à la télévision ou de vendre votre histoire comme les filles de l'affaire Profumo ! « L'affaire Bowden »... Formidable, non ?

— Mon Dieu ! gémit Laura, horrifiée.

— Bel homme, ce Richard Bowden. Il m'a beaucoup plu.

— Vous l'avez vu ? demanda Laura étonnée.

— Oui, le jour où vous êtes partie avec l'autre jeune homme à un mariage. Il a frappé à ma porte pour me demander si je vous avais vue. J'ai tout fait pour le retenir mais il ne m'a même pas écoutée. Ça, on peut dire qu'il en pince pour vous ! Il était fou d'inquiétude. Il n'est jamais revenu... Dommage !

Convaincue que, tôt ou tard, Francis et Mavis liraient le journal, Laura passa chez eux pour leur donner sa version des faits et rétablir la vérité.

— Je ferais peut-être mieux de ne plus jouer à l'église, Francis. Que vont penser les gens ?

— Ne te fais aucun souci à ce sujet. Si on me fait des réflexions, j'expliquerai tout.

— D'ailleurs, il n'y a rien de déshonorant pour toi dans cette histoire, Laura, fit remarquer Mavis. C'est Bowden qui a le mauvais rôle. Il ne doit plus savoir où se mettre, aujourd'hui !

— J'espère que je ne vais pas voir débarquer chez moi une foule de curieux...

— Tu n'as rien à craindre puisque tu n'es pas dans l'annuaire.

— C'est vrai.

— Et si tu as des ennuis, viens vite te réfugier ici...

Elle resta avec eux, ce dimanche-là. Ils parlèrent de tout et notamment du problème crucial de son travail.

— Qu'on ne me parle plus de jouer dans un club, en tout cas ! s'écria-t-elle.

— Il va falloir que tu trouves quelque chose, dit Francis, inquiet.

— Je chercherai dès demain.

La journée s'écoula paisiblement. Le bébé gazouillait. Il commençait à s'asseoir et à sourire. Cette ambiance familiale emplit Laura de nostalgie. Tandis que Mavis lui enviait sa vie indépendante de musicienne, Laura se demandait si elle aurait un jour la chance d'être aussi heureuse que sa belle-sœur...

Le lendemain, elle acheta les journaux et se mit à éplucher les petites annonces. Un grand magasin recherchait une vendeuse d'orgues. Elle téléphona aussitôt et obtint un rendez-vous l'après-midi même. Avant de s'y rendre, elle déjeuna tranquillement devant la télévision, en jean et avec le tee-shirt que portaient tous les étudiants de l'Académie. Beethoven et Bach buvant un verre de bière y

118

étaient imprimés au-dessus de la légende : « Vive les Trois B : la Bière, Bach et Beethoven ! »

Soudain, on frappa à la porte. Ce n'était sûrement pas Richard qui devait la craindre comme la peste, ces temps-ci.

Elle ouvrit la porte et découvrit avec stupeur lady Althea Reidel debout sur le palier. Enveloppée dans un élégant manteau en poil de chameau, elle posa sur Laura un regard hautain. Sa coiffure était impeccable, son maquillage parfait et, sous son manteau, elle portait un tailleur sobre et chic couleur caramel. Des gants de pécari, des bas de soie et de jolis escarpins en chevreau complétaient sa tenue. Son maintien avait quelque chose de royal et tout en elle était classique — ce qui la vieillissait car, de près, on voyait qu'elle n'avait pas plus de trente ans.

— Je suis lady Althea Reidel. Puis-je entrer ? demanda-t-elle.

Avant même d'y être invitée, elle pénétra dans le salon et examina les lieux avec l'air de la reine Elizabeth visitant un hôpital. Elle frémit de dégoût en voyant la vaisselle sale, sur la table. Puis elle regarda Laura avec une hostilité non dissimulée.

— Je vois que vous aimez la musique, dit-elle d'un ton ironique après avoir contemplé le tee-shirt.

Clouée sur place, Laura faillit éclater d'un rire nerveux.

— Vous vous doutez certainement de la raison de ma visite ? reprit lady Althea.

Laura se dit qu'elle avait à coup sûr un rapport avec Richard, mais lequel ? Si cette belle dame était venue pour l'espionner ou lui infliger un sermon, elle la remettrait vite à sa place.

— Absolument pas, répondit-elle poliment. Je vous en prie, veuillez vous asseoir. Voulez-vous une tasse de thé ?

— Non, merci.

Lady Althea s'assit au bord du canapé après y avoir auparavant jeté un coup d'œil inquiet.

— Je suis venue vous parler de vos... de vos relations avec Sean Bowden.

— Ah bon ? Pourquoi pas de mes relations avec Richard ?

— Il s'agit des deux en fait. Après tout, Richard ne s'intéresse à vous que pour vous pousser à rompre avec son frère, n'est-ce pas ?

— C'est ce qu'il vous a raconté ? demanda Laura, soudain grave. Mais il y a longtemps que Sean a compris que ce projet de mariage était absurde. Le jour où j'ai rencontré Richard, son frère est sorti de ma vie...

— C'est bien ce que je craignais. Les hommes sont si bêtes, vous ne trouvez pas ?

— Ils sont idiots, affirma Laura.

— Il est temps que Richard se marie. Vous n'ignorez pas qu'il est l'héritier de Hazelhurst et de la baronnie ?

— Je le sais.

— Son entourage pense qu'il devrait penser à avoir un fils, le prochain héritier.

— Sommes-nous dans un roman victorien ? s'enquit Laura en souriant.

— Pas tout à fait. La famille Bowden était déjà fort ancienne à l'époque de la reine Victoria, précisa lady Althea sans aucun humour. Comme la mienne, c'est l'une des plus vieilles familles anglaises. L'épouse de Richard devra appartenir à l'aristocratie. Certains devoirs incombent à la femme d'un baronnet, mais tout cela vous est complètement étranger, je suppose ?

— Je suis enchantée de m'instruire, déclara Laura. Que devra donc faire lady Richard ?

— Lady Richard ? Ma chère, vous voulez dire

lady Bowden ! La femme d'un baronnet utilise le nom de famille de son mari.

— Vraiment ? C'est fort intéressant...

— Traditionnellement, lady Bowden était l'une des dames de compagnie de Sa Majesté. Paraître à la Cour, organiser des bals, parrainer des œuvres de charité, voilà quels seront les devoirs de l'épouse de Richard. Maintenant que ses affaires ont acquis une ampleur internationale, il lui faudra aussi mener à bien une vie mondaine. Rendre visite à des clients, recevoir de hautes personnalités à Hazelhurst, voyager à l'étranger... Lady Bowden devra parler plusieurs langues, savoir s'adapter aux mœurs et aux coutumes des pays étrangers...

— J'ai adoré l'Italie !

— Elle devra également connaître le protocole. Vous comprenez aisément que Richard ne peut pas épouser n'importe qui.

— Et vous pensez qu'il ne le sait pas ? demanda Laura de l'air le plus innocent du monde.

— Vous connaissez les hommes. Emportés par leurs sentiments, ils commettent des folies qu'ils regrettent aussitôt. Ainsi, le scandale de la semaine dernière a beaucoup nui à sa carrière.

— Est-ce lui qui vous a envoyée ici ?

— Je suis venue au nom de toute la famille. Vous n'avez pas idée du chagrin que vous causez à sir Greville et à lady Bowden. Le vieux baron est très malade. Si Richard vous épousait, ce serait un désastre. Pour lui comme pour vous. Vous ne seriez pas à votre place dans son monde, mademoiselle Talmadge. Mieux vaut y renoncer tout de suite.

Son visage fier restait impassible, mais quelque chose dans sa voix disait clairement qu'il s'agissait là autant d'une supplique que d'un ordre.

— Dois-je comprendre que vous briguez vous-même le titre de lady Bowden ?

— Mes antécédents m'en donneraient le droit.

— Vous n'oubliez qu'une chose, lady Althea. Même s'il me le demandait à genoux, je n'épouserais pas Richard Bowden!

— Il vous l'a déjà proposé?

— C'est surtout cela que vous voulez savoir, n'est-ce pas? Pourquoi ne pas le demander à Richard? Merci de votre visite. Il y a un arrêt de bus au coin de la rue.

— Mon chauffeur m'attend, répliqua lady Althea en prenant ses gants et son sac. Puis-je assurer sir Greville et lady Bowden que vous agirez comme il convient?

— J'agis toujours comme il convient, répondit Laura.

— Je veux dire... Vous n'épouserez pas Richard?

— N'ayez aucune crainte. Je ne l'épouserai à aucun prix... à moins qu'il ne me le demande encore, ajouta-t-elle, prenant un malin plaisir à augmenter l'embarras de lady Althea.

— Encore?

— Entre nous, lady Althea, vous savez combien il est difficile de mettre le grappin sur un homme riche. Je vous avoue que le rôle de dame de compagnie de Sa Majesté me plairait assez...

Ravie d'avoir cloué le bec à lady Althea, elle la mit à la porte sans autre forme de procès. Quelle insupportable pimbêche! Elle courut à la fenêtre et l'aperçut qui s'engouffrait dans une Rolls-Royce. Un chauffeur en livrée, comme les valets de pied d'antan, referma cérémonieusement la portière sur elle.

Lorsque sa colère fut un peu apaisée, Laura reconnut que les arguments de lady Althea n'étaient pas dénués de bon sens. Elle n'était certainement pas l'épouse qu'il fallait à un homme dans la position de Richard... Mais le problème se posait-il ? Tout était fini entre eux. Elle s'efforça d'oublier ces absurdités et se prépara pour son rendez-vous.

Le directeur du magasin l'embaucha immédiatement. Il dut la trouver suffisamment jolie pour attirer les clients. Elle allait gagner une misère mais tant pis. Pour aggraver les choses, elle reçut dans la soirée un coup de fil de Jerry qui lui annonça une augmentation de loyer, justifiée par sa démission. Il ne lui restait plus qu'à chercher un autre appartement... Durant toute une semaine, après son travail, elle visita des dizaines de logements inabordables ou misérables. Elle finit par accepter de payer le prix demandé par Jerry. Pour accroître ses revenus, elle donnait des leçons d'orgue, le soir, au magasin. Le plus souvent, à des débutants. Et elle enrageait en pensant à toutes ses années d'études pour aboutir à un résultat aussi minable ! Une organiste de concert n'intéressait personne.

Afin de ne pas perdre sa technique, elle se rendait deux fois par semaine à l'église de Francis où elle avait la joie de pouvoir jouer sur un vrai orgue. Seule dans l'église emplie de musique, elle se sentait en paix. Mais elle repensait souvent avec tristesse à ce mémorable samedi où sa cousine Anne s'était mariée.

Elle se demandait ce que devenait Sean et cherchait souvent dans le journal le nom ou la photo de Richard. Sans résultat. Ils étaient sortis de sa vie aussi brusquement qu'ils y étaient entrés. Elle ne ressentait plus qu'une immense solitude et l'impression affreuse d'avoir perdu à jamais quelque chose d'essentiel.

Chapitre huit

A la fin du mois de juin, un vendredi, Laura vit arriver Richard au rayon des instruments de musique. Il était un peu plus de quatre heures. Son costume strict contrastait avec la tenue décontractée des autres clients qui, par cette chaude après-midi d'été, étaient vêtus légèrement. Il lui parut plus grand et plus beau encore qu'elle ne s'en souvenait. D'abord, elle crut qu'il ne l'avait pas vue, car il s'entretint un moment avec le directeur du magasin. Pas une seule fois il ne tourna la tête de son côté. Jusqu'à ce qu'il s'approche d'elle en compagnie du directeur.

— Mademoiselle Talmadge, déclara celui-ci, voulez-vous vous occuper de ce monsieur ?

Laura reconnut la lueur qui brilla dans les yeux de son patron, à cet instant. Son visage maussade ne s'éclairait, en effet, que lorsqu'il avait une bonne vente en perspective. Elle avait pourtant du mal à croire que Richard voulait acheter un orgue... Ni lui ni Sean n'en jouaient, à sa connaissance.

— Mlle Talmadge est notre spécialiste. Je m'y connais moi-même très mal en orgues, et Mlle Talmadge appelle les instruments que vous voyez ici des joujoux ! Monsieur est intéressé par un grand modèle, Laura. C'est pour une église. Il en veut un sans tous les gadgets à la mode, avec un jeu

124

complet de pédales et une console d'un style approprié à l'église en question.

Richard la contemplait d'un air neutre, avec pourtant, lui sembla-t-il, une étincelle de défi au fond des yeux. Puisqu'ils devaient apparemment feindre de ne pas se connaître, Laura joua le jeu.

— Nous n'avons aucun orgue de ce genre en stock, monsieur Peters. On ne nous en demande jamais. Monsieur... ce monsieur ferait mieux d'aller s'adresser...

— Nous pouvons en commander un, coupa sèchement Peters qui ne tenait visiblement pas à rater une si bonne affaire.

— C'est vrai, admit-elle, mais il y aura un délai de livraison.

— Peu importe, je ne suis pas pressé. C'est un don que ma famille veut faire à l'église de notre village, expliqua Richard.

— Ce geste vous honore, monsieur, déclara M. Peters, flatteur.

Laura ne pouvait s'empêcher de penser que ce magasin des faubourgs de Londres n'était pas l'endroit idéal pour acheter un orgue d'église !

Déconcertée, elle interrogea M. Peters du regard.

— Eh bien, qu'est-ce que vous attendez, Laura ? Sortez les catalogues et montrez à M. Bowden ce que nous avons à lui proposer ! Nous lui passerons une commande spéciale et recevrons l'orgue d'ici une semaine. Cela vous conviendra-t-il, monsieur Bowden ?

— Parfaitement. Puis-je consulter ces catalogues maintenant ?

— Conduisez monsieur à mon bureau, offrit Peters magnanime.

En fait de bureau, il s'agissait d'une table et de deux chaises, au fond du magasin. Laura songea brusquement qu'elle devait être affreuse à voir.

Elle travaillait depuis midi, son rouge à lèvres avait disparu, ses cheveux étaient en bataille et sa petite robe toute défraîchie. Elle se mit à fourrager nerveusement dans les tiroirs à la recherche des catalogues.

— Je vais installer cette chaise près de l'autre, dit Richard, afin que nous puissions les feuilleter ensemble...

Elle remarqua qu'il s'asseyait de façon à se trouver hors du champ visuel de M. Peters, dénicha enfin trois catalogues et les ouvrit sur le bureau.

— Quel prix avez-vous l'intention d'y mettre ? demanda-t-elle.

— Peu importe. Nous voulons ce qui se fait de mieux. Oh ! nous n'avons pas besoin d'un orgue gigantesque... Notre église n'est pas la cathédrale Saint-Paul ! ajouta-t-il avec un sourire.

Laura s'étonna de le voir si fébrile tout à coup, sa belle assurance envolée.

— Je pensais à un orgue un peu comme celui de votre frère, à Saint-Peter, reprit-il.

— Impossible, c'est un grand orgue très ancien. On ne les fabrique plus depuis longtemps.

— Dommage ! Il a un son magnifique.

Quand donc l'avait-il entendu ? Etait-il allé à Saint-Peter pour écouter jouer Laura ? Elle était la seule à utiliser cet orgue.

— C'est vrai, dit-elle en rougissant. Je crois que celui-ci devrait vous convenir, ajouta-t-elle, le doigt posé sur une photo du catalogue. Il est électronique, bien entendu, comme tous les orgues de nos jours, avec des haut-parleurs qui lui donnent un très beau son. Je jouais sur le même à l'Académie.

— J'ai cru comprendre que le magasin proposait aussi des cours ?

— Oui.

— C'est vous qui les donnez ?

— Oui, mais je doute que l'organiste de votre église en ait besoin, d'autant plus que nous ne nous déplaçons pas. Les cours ont lieu ici.

— Notre organiste pourra venir pour que vous lui en montriez le maniement...

— Bien sûr. Ah... la société Hammond fabrique également un très bel orgue. Vous voulez le voir ? On n'achète pas un objet aussi cher sans faire de comparaisons, dit-elle, fière de garder si bien son calme.

Il se rapprocha d'elle pour mieux voir l'orgue qu'elle désignait. Son épaule effleura la sienne. Le parfum épicé de son after-shave fit affluer en elle une foule de souvenirs poignants. Mais ce contact fut de courte durée. Il recula brusquement comme sous l'effet d'une brûlure. Ils parcoururent les catalogues pendant un bon quart d'heure avant qu'il ne se risque à une remarque personnelle.

— Vous ne jouez plus aux *Caves de France ?* demanda-t-il comme si de rien n'était.

Elle continua à tourner les pages un moment avant de répondre :

— Non.

— On vous a renvoyée ou vous avez démissionné ?

— Eh bien, de mon point de vue, j'ai démissionné.

— Vous avez bien fait. Vous gagnez bien votre vie ici ?

— Là aussi, c'est une question de point de vue... Vous trouveriez certainement mon salaire misérable, mais je préfère ça au chômage. Je me débrouille.

— Vous jouez si bien ! Pourquoi ne tentez-vous pas une carrière de concertiste ?

— La musique d'orgue n'intéresse personne.

— Je me souviens en effet du concert de Hans

Grebel... Quel dommage! Tant de travail pour rien...

— Je n'ai aucun regret. J'aime beaucoup ce que je fais... Comment va Sean? s'enquit-elle, emportée par la curiosité.

— Un grand ponte du cinéma a eu la bonne idée de le convaincre qu'il réussirait mieux dans le métier avec un diplôme en poche. Il a passé ses examens avec succès et retourne à l'université cet automne. Pour l'été, il a été engagé comme homme à tout faire aux Studios Pinewood. Il est ravi d'avoir mis un pied dans le show-business, comme il dit. En ce moment, il est amoureux fou d'une Eurasienne, une petite starlette de second plan. Mais cette fois, je me garderai bien de mettre mon grain de sel dans ses affaires...

Laura leva sur lui un regard interrogateur. Que signifiait cette remarque ambiguë? Voulait-il dire qu'il ne tenait pas à se ridiculiser une fois de plus, ou cherchait-il seulement à s'excuser? Il s'était déjà replongé dans la lecture du catalogue.

— L'heure de la fermeture approche, dit-elle. Vous voulez réfléchir un peu avant de vous décider?

— Lequel préférez-vous, vous?

— Le Hammond. Mais l'autre offre un meilleur rapport qualité-prix.

— Je prends le Hammond. Vous êtes bien plus compétente que moi. Je vais suivre votre conseil.

M. Peters vint les rejoindre peu après.

— Tout va bien? Pourquoi avez-vous installé M. Bowden dans ce soin sombre, mademoiselle Talmadge? Comment! Vous ne lui avez montré que trois catalogues? Mais nous en avons beaucoup plus!

Il se tourna vers Bowden et ajouta :

— Excusez-moi, monsieur, le personnel n'est plus ce qu'il était...

— Détrompez-vous, répondit Richard d'un ton sec. Mlle Talmadge m'a été d'une aide précieuse. J'ai moi-même demandé à voir en priorité le catalogue Hammond. Vous avez de la chance d'avoir une employée aussi compétente... Ainsi, vous me recommandez le Hammond, mademoiselle Talmadge ?

— Oui, c'est un très bel instrument.

— Parfait, je le prends.

— Je vais immédiatement établir la commande, dit Peters, épanoui devant le prix astronomique de l'orgue choisi.

Quand il se fut éloigné avec Richard, Laura alla se brosser les cheveux et se refaire une beauté. Elle prit tout son temps. Richard était venu ici pour elle, c'était évident... L'achat de l'orgue n'était qu'un prétexte. Lui offrirait-il de la raccompagner chez elle ? Ou, peut-être... Pleine d'espoir, elle se dit qu'ils parviendraient peut-être à se réconcilier...

— Je m'en vais, monsieur Peters, annonça-t-elle en sortant.

— A demain, Laura !

— Merci pour votre aide ! lança Richard en la regardant à peine avant de se tourner à nouveau vers Peters.

Quelle idiote ! Son imagination lui jouait décidément de trop mauvais tours. Richard n'était pas venu au magasin pour elle... Pourquoi avoir pensé une folie pareille ? Il avait dû éprouver une terrible gêne en la voyant et c'était par pure politesse qu'il n'était pas ressorti tout de suite car il avait dû avoir envie de s'enfuir à toutes jambes ! Prise d'une colère subite, elle dut néanmoins reconnaître qu'il s'était parfaitement bien tiré de ce guêpier.

Le samedi matin, son directeur l'accueillit avec un grand sourire.

— Tout s'est bien passé, monsieur Peters ? demanda-t-elle d'un ton faussement dégagé.

— A merveille ! L'orgue sera livré sur place dans le Sussex vendredi prochain. Vous irez d'ailleurs vous assurer que tout est en ordre. Je l'ai promis à M. Bowden. Ça ne vous fera pas de mal de changer un peu d'air !

— C'est lui qui a demandé que j'y aille ?

— Oui. Il passera lui-même vous prendre ici en voiture à trois heures. Ce monsieur semble fasciné par les orgues. J'ai l'espoir de lui en vendre également un petit. Il a dit qu'il viendrait peut-être en essayer un cette semaine. C'est un fana de l'orgue ! Il connaît tous les endroits de Londres où on peut en écouter.

— Il vous a cité des noms ?

— Il a parlé d'une petite église... Saint-Peter, je crois. D'après lui, l'organiste qui y joue le dimanche est extraordinaire. Tenez, Laura, allez voir ce que veut ce type, fit-il soudain en voyant un client qui pianotait sur un clavier.

Richard ne parut pas de la semaine. Le vendredi, en prévision de son voyage dans le Sussex, Laura soigna particulièrement sa toilette, fermement décidée à lui sembler non seulement jolie mais aussi éminemment respectable. L'élégance de lady Althea lui revint soudain en mémoire. Bah ! elle ne pourrait jamais rivaliser avec elle. Elle mit une robe bleu clair ornée de dentelle blanche dont la coupe très moderne soulignait sa taille fine. Elle rassembla sa chevelure en un chignon souple et, pour atténuer le côté maîtresse d'école de l'ensemble, elle choisit des escarpins à talons hauts.

S'ils partaient à trois heures pour le Sussex, elle ne rentrerait sans doute pas chez elle avant la nuit.

Richard avait-il fait exprès de choisir cette heure tardive ? Voulait-il l'inviter à dîner ? Un peu avant trois heures, la nervosité commença à la gagner. Elle fignolait discrètement son maquillage quand Richard arriva, se dirigeant tout de suite vers M. Peters. Dès qu'il aperçut Laura, il lui fit un sourire qui l'atteignit en plein cœur. Un sourire radieux plein de tendresse et d'admiration. Un sourire qui en disait plus long que tous les discours.

— La voilà ! s'écria Peters d'un ton jovial. L'orgue devrait vous attendre pour votre arrivée. Vérifiez bien tout, mademoiselle Talmadge et, s'il y a le moindre problème, téléphonez-moi.

— Allons-y, dit Richard.

Elle le sentait mal à l'aise et un peu nerveux.

Sa voiture était garée en stationnement interdit devant le magasin.

— Vous avez de la chance ! constata-t-elle. Pas de papillon sous votre essuie-glace !

— Vous avez oublié ma tactique ? demanda-t-il en lui ouvrant la portière. Je parle français et on me laisse tranquille. J'espère cependant que ma chance va durer...

— Oh, on ne vous donnera pas de contravention après votre départ !

— Ce n'est pas du tout à ça que je pense, murmura-t-il, énigmatique.

Il mit le contact, démarra et resta silencieux un bon moment.

— Est-ce loin ? demanda Laura lorsqu'ils furent sortis de Londres.

— Une centaine de kilomètres à vol d'oiseau. Combien de temps vous faut-il pour vérifier le bon fonctionnement d'un orgue ?

— Je n'en ai jamais vérifié d'aussi important. Mais... je ne comprends vraiment pas pourquoi

131

vous m'avez choisie. Un technicien serait plus qualifié. Je suis nulle en électronique !

— Vous savez quand même juger le son d'un orgue, non ?

— Oui. Je pourrai aussi donner quelques conseils à votre organiste. Comment s'appelle-t-il, à propos ?

— Everett.

— Il joue depuis longtemps ?

— C'est un débutant. Notre ancien organiste est mort. M. Everett prend des leçons depuis six mois.

— Six mois ? Il sera incapable d'utiliser cet orgue au maximum de ses possibilités. Enfin, s'il est sérieux, il finira par apprendre.

Ils discutèrent de l'orgue quelques instants encore puis Richard changea brusquement de sujet.

— A quelle heure devez-vous être rentrée à Londres, Laura ? Vous avez peut-être un rendez-vous...

— Pas ce soir. A quelle heure part le dernier train pour Londres ?

— Aucune idée. Mais je vous ramènerai. J'ai une réunion de travail demain matin et je préfère passer la nuit à Londres.

— Merci, murmura-t-elle.

— C'est moi qui vous remercie de vous être déplacée.

— Je fais mon travail, répondit-elle.

Ils roulaient dans la banlieue de Londres. Les agglomérations se succédaient sans interruption.

— J'ai l'impression qu'il ne restera bientôt plus un seul coin de verdure en Angleterre, fit-elle remarquer tristement.

— Vous oubliez Kew Gardens ! dit-il avec un sourire. Vous aimez la campagne ?

— Enormément. J'y ai longtemps vécu.

— Hazelhurst vous plaira. Chaque fois que j'y

vais, je ressens la même émotion. Comme si j'étais ramené un siècle en arrière. Sans le vrombissement des avions, on pourrait se croire dans un tableau de Constable. C'est tellement différent de Londres.

— Il m'a fallu un an pour m'habituer au bruit de la ville, à la foule...

Ils bavardèrent à bâtons rompus, évoquant leurs souvenirs d'enfance. Elle parla du poney irlandais que son père avait acheté pour Francis et pour elle. Ils échangèrent bon nombre d'anecdotes sur leurs chiens et leurs vélos et aussi sur les traditions de Noël en vigueur dans leurs familles respectives.

L'après-midi touchait à sa fin lorsque Richard se gara devant l'église de son village, une splendeur gothique de dimensions modestes.

— Quelle merveille ! s'exclama Laura.

— Si M. Peters tient parole, l'orgue devrait déjà se trouver dans le chœur.

— Et M. Everett ?

— Il ne va pas tarder. Il m'a dit qu'il viendrait directement de son travail.

Elle le suivit à l'intérieur de l'église et ne put s'empêcher de se remémorer le jour du mariage de sa cousine — ce jour où, déjà, ils s'étaient retrouvés dans une église... Sans dire un mot, comme si lui aussi s'en souvenait, il s'engagea dans l'escalier.

— Attention de ne pas trébucher, se contenta-t-il de dire. Il faudra que je fasse installer un éclairage.

Le nouvel orgue était arrivé. Impatiente de l'essayer, Laura s'installa devant le clavier.

— Que je suis bête ! J'ai oublié d'apporter des partitions ! J'espère qu'il y en a ici.

— Oui, répondit-il en lui tendant un livre de cantiques jauni par le temps.

Elle posa les doigts sur les touches avec un réel bonheur. Jamais elle n'avait joué sur un aussi bel instrument neuf. La console en noyer luisait doucement sous les rayons du soleil couchant. Elle joua deux morceaux et il écouta, silencieux et attentif.

— Il semble avoir très bien supporté le transport, déclara-t-elle finalement. Il est parfait.

— Pardon ?

Plongé dans une profonde rêverie, il sursauta. Laura répéta ses paroles.

— Tant mieux. Ma chance continue...

Soudain M. Everett apparut à leurs côtés. Agé d'une trentaine d'années, il avait tout de l'employé de bureau modèle.

— C'est un vrai monstre ! s'écria-t-il effrayé. Je ne serai jamais à la hauteur, monsieur Bowden. J'ai déjà du mal à maîtriser l'ancien... Je vais quand même essayer.

Il n'avait de musicien que le nom. Il ne faisait pas de fausses notes mais jouait sans aucun talent. Il ne se servait jamais des pédales pour amplifier les basses et semblait tout ignorer des possibilités harmoniques d'un orgue. Laura écoutait, atterrée. Comment Richard avait-il pu gaspiller tant d'argent pour un organiste aussi médiocre ?

— Je viendrai répéter pendant le week-end, annonça M. Everett en se levant. Il faut que je file, maintenant. J'ai un match de cricket.

Il prit congé et disparut.

— Nous rentrons à Londres ? demanda Laura.

— Pas si ma chance continue. J'aimerais tant que vous acceptiez de dîner avec moi...

Le cœur de Laura bondit de joie dans sa poitrine.

— Il est tard mais... j'accepte !

— Quel bonheur ! Venez, ma mère nous attend.

Chapitre neuf

Effrayée, elle imagina aussitôt lady Althea avec trente ans de plus, présidant une immense table autour de laquelle s'affairait une armée de domestiques. Impossible... Elle allait renverser son verre, se tromper de couvert, dire exactement ce qu'il ne fallait pas. De plus, le souvenir du scandale de la bagarre des *Caves de France* la paralysait. Non, elle ne pourrait jamais affronter les parents de Richard.

— Je... je n'ai pas très faim, Richard et... commença-t-elle.

— Rien ne vous oblige à manger beaucoup.

— Si nous prenions plutôt un hamburger sur le chemin du retour ?

— J'ai prévenu ma mère que nous dînerions à Hazelhurst.

— Avec toute votre famille ?

— Sean est à Londres et mon père garde la chambre. Il n'y aura que ma mère et moi. Vous voyez, ce sera un dîner très simple, intime.

Remarquant qu'elle était morte de peur, il ajouta avec douceur :

— Elle nous attend. Elle a très envie de vous connaître car elle adore la musique d'orgue. Je suis sûr que votre visite lui fera du bien. Elle est si seule, vous savez.

Laura avait pourtant la certitude que la solitude

de lady Bowden n'était pour rien dans cette invitation. Richard voulait voir si elle était capable de s'intégrer à son milieu tout simplement, et la seule idée de saluer sa mère épouvantait Laura...

— Mais je... je n'ai jamais...

Elle s'interrompit, brusquement consciente de la puérilité de son attitude.

— Evidemment, si vous lui avez annoncé notre arrivée... reprit-elle.

— N'ayez crainte, elle ne vous mangera pas ! C'est une vieille dame très originale... pas du tout collet monté. Ses amis l'appellent « Tayaut » !

— Etrange surnom pour une lady...

Mais elle n'en menait pas large quand, après avoir traversé des hectares de parc, Richard emprunta l'allée qui menait au château. Elle l'avait bien souvent imaginé dans un vaste bureau solennel lambrissé de chêne et, curieusement, elle n'avait jamais pensé à Hazelhurst, la demeure dont il hériterait à la mort de son père. Au premier coup d'œil, elle mesura la profondeur du fossé qui la séparait des Bowden. Cette longue façade percée de dizaines de fenêtres, cette gigantesque porte en bois sculpté... tout semblait la narguer. Décidément, lady Althea avait raison et Laura regrettait, maintenant, de ne pas l'avoir crue.

Non, il n'était pas étonnant que Richard se soit insurgé contre les relations de son frère avec une organiste de cabaret ! Elle n'appartenait pas à cet univers. Les deux lions de pierre grandeur nature qui gardaient l'entrée ne firent qu'accroître son malaise. Richard s'en aperçut.

— N'ayez pas peur de ces petits minets, dit-il sur le ton de la plaisanterie. Avec Sean, quand nous étions enfants, nous passions des heures à califourchon sur leurs dos !

136

— Quelle immense maison... murmura-t-elle, terriblement intimidée.

— Nous n'en habitons qu'une toute petite partie. Et mon appartement de Londres est bien plus modeste.

Il faisait vraiment tout ce qu'il pouvait pour la rassurer. Il la prit par le bras pour gravir les marches du perron. Un valet de chambre les accueillit.

— Je sais ouvrir une porte, Jenkins, dit Richard d'un ton sec.

Visiblement offensé, Jenkins se tut d'un air pincé. Et Laura se dit que Richard devait être aussi nerveux qu'elle, pour rabrouer ainsi un domestique qui ne faisait que son travail.

Le vaste hall ressemblait à un échiquier géant avec ses dalles de marbre noires et blanches, sous l'énorme lustre en cristal. Des lambris de bois richement sculptés recouvraient les murs et, au fond, le grand escalier en forme de fer à cheval était d'une beauté impressionnante. De nombreux portraits d'ancêtres, deux somptueux cadres dorés témoignaient du prestige de cette glorieuse lignée. Mais déjà Richard entraîna Laura vers le salon, une pièce étonnamment petite, intime et confortable, aux murs tapissés de rouge et couverts de toiles bien moins sévères que les portraits du hall, et de photos dans de jolis cadres très sobres. Des photos de vieilles dames souriantes, de jeunes mariés, d'enfants...

— Où est lady Bowden, Jenkins ? demanda Richard au valet de chambre qui les avait suivis.

— Dans le solarium, monsieur.

— Veuillez la prévenir que notre invitée est là, je vous prie.

Jenkins s'inclina et sortit.

— Asseyez-vous, Laura. Nous allons boire quelque chose, fit-il dès qu'ils furent seuls, en se frottant fébrilement les mains. Du sherry ? du vin... ?

— Du sherry... Quel merveilleux jardin ! s'écria-t-elle.

Elle venait de découvrir, derrière les vitres des fenêtres, un fantastique foisonnement — parfaitement entretenu — de rosiers en fleur.

— Ces rosiers datent de l'époque de la reine Anne. Notre jardinier les soigne tout particulièrement. Enfin... l'homme qui s'occupe de nos terres, rectifia-t-il, gêné.

— Comment... elle est déjà là ? fit une voix de femme haut perchée, de l'autre côté de la porte. Jenkins, allez à la cuisine voir si le dîner est prêt. Ah non ! c'est vrai. Il veut que nous prenions d'abord l'apéritif !

La mère de Richard était-elle aussi fébrile que son fils ? Il se précipita pour lui ouvrir la porte et une charmante femme, petite, avec des cheveux argentés, s'avança vers Laura. Son attitude était altière et son visage aimable et même malicieux. En culotte de cheval, casaque et bottes, elle respirait la santé. Laura lui sourit — ce n'était vraiment pas ainsi qu'elle avait imaginé lady Bowden...

— Mademoiselle Talmadge, comme je suis heureuse de vous accueillir ! J'espère que vous me pardonnerez cette tenue mais je sors de l'écurie. Le cheval de ton frère a mis son box en pièces, Dick ! C'est la raison de mon retard. Il a bien fallu que je tire les oreilles au Duc !

— Le Duc est une jument, Laura, au cas où vous penseriez que ma mère a perdu la tête ! Voilà... je vous présente ma mère.

— Bonjour, madame, dit Laura. Mais... s'il s'agit d'une jument, pourquoi ne pas l'avoir appelée Duchesse ?

— Parce que maman trouve qu'elle ressemble au

138

duc de Braemar, expliqua Richard. Surtout, ne le dites à personne, c'est un secret de famille! Braemar pourrait bien se vexer s'il apprenait la chose...

— Je tiendrai ma langue, promit-elle, stupéfaite et amusée.

— Vous aimez les chevaux, ma chère? fit lady Bowden.

— J'avais un poney autrefois...

— C'est très différent, coupa la vieille dame.

— Richard m'a dit que vous aimiez l'orgue?

— L'orgue? Quel orgue? demanda lady Bowden en interrogeant son fils du regard.

— Celui que nous offrons à l'église, maman.

— Tiens... Je croyais qu'il était destiné à Mlle Talmadge?

— Oh non! dit Laura. Il l'a acheté sur mes conseils mais pas pour moi!

— Vraiment? C'est étrange... Mais pourquoi l'avez-vous vendu? Dick prétend que vous en jouez.

— Tu veux un verre de sherry? interrompit Richard d'un ton péremptoire.

— Dick! Qu'est-ce qui te prend, ce soir? Il y a plus de trente ans que je bois un scotch avant le dîner! Bon, je vais me changer, je le prendrai dans ma chambre.

— Je vais dire à Jenkins de te le monter.

Et il la suivit précipitamment hors de la pièce. Laura les entendit parler tout bas derrière la porte. Richard semblait adresser des reproches à sa mère qui répondait sur un ton d'excuse. Il revint bientôt au salon et proposa à Laura de faire un tour dans le jardin.

— A moins que vous ne préfériez terminer votre sherry...

— Non, non... sortons, dit-elle, déconcertée.

A leur retour, lady Bowden les attendait. Très élégante dans une robe du soir, avec un précieux collier de perles autour du cou. Elle quêta du regard l'approbation de son fils. Il hocha la tête d'un air satisfait et ils passèrent dans la salle à manger.

A un bout de l'immense table, trois couverts étaient dressés sur une nappe de dentelle blanche. Laura ne put s'empêcher d'admirer les assiettes en fine porcelaine de Chine et la superbe argenterie patinée par le temps. Devant chaque couvert, trois verres de cristal étincelaient.

— Remportez ces verres, ordonna Richard au domestique. Laissez-en juste un pour chacun.

— J'ai fait préparer un gigot d'agneau, mademoiselle Talmadge, annonça lady Bowden. J'espère que vous aimez ça ?

— Oui, beaucoup.

— Tant mieux. Et les asperges ? J'en ai eu beaucoup, cette année. Dans la serre, bien entendu.

— Vous aimez le jardinage ? demanda Laura tandis que le malaise général s'épaississait.

— Pas du tout ! Je n'aime que les chevaux. Les élever, les entraîner, les monter... Vous ne montez pas, m'avez-vous dit ?

— Non.

— Dommage.

Il y eut un long silence pesant. Puis, subitement, ils se mirent à parler tous les trois en même temps. Un peu embarrassée, lady Bowden répéta ses paroles.

— Dickie va faire concourir un cheval à Ascot, cette année.

— C'est vrai ? demanda Laura. A-t-il des chances de gagner ?

— « Il » ? Mais, ma chère, Ascot est réservé exclusivement aux pouliches, déclara lady Bowden en riant. Elle gagnera, j'en suis persuadée.

— Laura ne pouvait pas le savoir, maman. Elle

t'a dit deux fois qu'elle ne s'intéressait pas aux chevaux !

Ce repas fut une véritable torture pour Laura. Toutes ses tentatives pour relancer la conversation échouèrent. Elle n'avait pas un seul goût en commun avec lady Bowden. Dès qu'elle put le faire sans paraître impolie, elle remercia son hôtesse pour son hospitalité et rappela timidement à Richard sa promesse de la ramener à Londres ce soir.

Ils parlèrent peu durant le trajet, et seulement d'Hazelhurst et du nouvel orgue.

— Vous êtes bien silencieuse, ce soir, constata-t-il.

— Je réfléchis.

— A des choses tristes, apparemment. Ce dîner a été si pénible que ça ?

— Oh non ! Hazelhurst est une demeure magnifique ! Ce doit être merveilleux de... de s'y sentir à sa place... Vous me comprenez ? Tout y est si... si distingué, si raffiné.

— Il ne tient qu'à vous d'être détendue où que vous soyez, Laura... Quant à la distinction, ma mère n'en a pas l'exclusivité !

— J'ai pourtant éprouvé un réel malaise, murmura-t-elle.

Elle songeait avec tristesse et regret que Richard ne l'avait présentée à sa mère que pour la confronter à son univers, pour savoir si elle pourrait s'y adapter. Il avait donc très sérieusement pensé à l'épouser et cette soirée lui avait prouvé qu'ils ne seraient jamais heureux ensemble.

A Hazelhurst, elle s'était sentie comme un poisson hors de l'eau et Richard n'avait pas ménagé ses efforts pour la mettre à l'aise. Qu'est-ce que ce serait quand elle se retrouverait en présence de toute sa famille, son père, ses oncles, ses tantes... ?

Sans parler de tous les ducs et comtes que sa mère avait mentionnés au hasard de la conversation. Oui, Laura le savait désormais : il ne lui restait qu'à oublier Richard Bowden.

— J'ai trouvé que vous étiez parfaitement à votre place, déclara-t-il.

Que voulait-il dire ? Qu'ils pourraient continuer à entretenir des relations amicales ? Non, elle préférait ne jamais plus le voir.

Il la déposa devant chez elle.

— Merci d'être venue, Laura. J'espère que nous nous reverrons très bientôt.

Elle secoua la tête.

— Mieux vaut en rester là, Richard. Je suis contente que nous nous quittions en amis.

— Nous n'avons jamais été des amis, Laura, déclara-t-il avec un sourire mystérieux.

En entrant chez elle, la pauvreté de son appartement lui sauta aux yeux. Il n'y avait rien d'étonnant à ce que Richard en ait été frappé, lui qui était né à Hazelhurst... Pour essayer de ne plus y penser, Laura mit un disque et prit machinalement *La Vie en rose*. Elle ferma les yeux et revit son aventure avec Richard, depuis le début jusqu'à son lamentable dénouement. Non, à aucun moment ils n'avaient été des amis. En revanche, ils s'étaient affrontés avec une haine passionnée... Des larmes brûlantes jaillirent de ses yeux. Immobile, elle songea avec désespoir que leur histoire aurait pu être merveilleuse...

Chapitre dix

Le lundi soir, Richard lui téléphona chez elle.

— Vous avez un problème avec l'orgue ? demanda-t-elle.

— Non, plutôt avec l'organiste... Notre pasteur veut organiser un petit concert, dimanche, pour inaugurer l'orgue et M. Everett ne sera jamais prêt à temps. Accepteriez-vous de jouer pour nous quelques morceaux traditionnels ? Ceux que vous jouez à Saint-Peter conviendront parfaitement. Nous vous en serions si reconnaissants...

Laura fut aussitôt envahie d'émotions contradictoires. D'abord, elle était déçue qu'il ne l'ait appelée que pour lui demander un service et puis l'idée de se retrouver si près de Hazelhurst l'effrayait. Peut-être devrait-elle subir un autre repas avec lady Bowden ? Bien sûr, la perspective de jouer sur ce bel orgue tout neuf la tentait.

— Vous n'êtes pas libre dimanche ? s'inquiéta-t-il devant son silence.

— Si. Enfin, le matin, je joue à Saint-Peter. Si le concert a lieu dans l'après-midi...

— Votre heure sera la nôtre. Bien entendu, je viendrai vous chercher et je vous ramènerai. Et si votre frère Francis et sa femme veulent venir, ils seront les bienvenus.

— Merci.

— Vous acceptez ? Je regrette de vous demander

143

cela mais vous êtes la seule organiste que je connaisse capable d'exploiter toutes les possibilités de cet instrument.

Il ne lui demandait après tout que de donner un peu de son temps. Laura ne pouvait être mesquine au point de refuser.

— C'est d'accord. Votre pasteur passera sans doute une annonce dans le journal, sinon je risque de jouer dans une église vide... Fixons l'heure dès maintenant. Trois heures ?

— Parfait.

— Je viendrai vous prendre vers une heure. Il y aura une petite réception après le concert.

— A dimanche !

— Attendez ! Ne pouvons-nous nous voir avant pour discuter du programme ? Je ne veux surtout rien vous imposer mais...

— Parlons-en tout de suite. Vous avez des suggestions ? Il faut, bien sûr, des airs religieux et aussi un peu de musique classique pour mieux mettre l'orgue en valeur. Du Bach... ou du Haydn ?

— Vous savez mieux que moi ce qui convient. Merci de votre gentillesse, Laura.

— La sœur d'un pasteur aurait mauvaise grâce à refuser une telle demande !

— C'est bien là-dessus que je comptais ! s'écriat-il en riant. Auriez-vous percé à jour mon stratagème ?

Lorsqu'il eut raccroché, Laura resta un moment assise devant le téléphone. Son stratagème... Que voulait-il dire ? Pouvait-elle encore avoir un peu d'espoir ?

Durant la semaine, elle alla plusieurs fois répéter à Saint-Peter. Francis et Mavis acceptèrent avec joie d'assister au concert.

— Que vas-tu mettre ? s'inquiéta Mavis.

— Une toilette très simple. N'oublie pas que le concert a lieu dans une église !

Elle choisit une longue robe en organdi blanc avec des manches jusqu'au coude, une taille ajustée et une jupe très ample. Pour tout bijou, elle épingla sur son épaule une broche en or héritée de sa mère. Au dernier moment, elle décida que c'était l'occasion ou jamais d'étrenner un grand chapeau de paille qu'elle avait acheté sur un coup de tête sans jamais oser le porter.

— Tu es ravissante ! s'exclama Mavis. On dirait que tu sors d'une gravure du XIXe siècle !

Richard frappa à la porte à une heure pile et ils partirent aussitôt. Laura le trouva particulièrement séduisant dans son costume d'été gris clair. Lui n'avait vraiment rien d'une gravure ancienne et son allure d'homme d'affaires moderne faisait un singulier contraste avec sa robe blanche.

Elle avait appréhendé le trajet en voiture car Richard et Francis n'avaient apparemment rien en commun. Elle comprit vite à quel point elle avait eu tort. A sa grande joie, ils parlèrent avec animation de la religion, du nombre de plus en plus restreint des croyants et des raisons de cette désaffection. Francis déclara qu'à son avis l'Eglise ne jouait pas un rôle assez actif dans la vie de la communauté pour attirer l'intérêt des jeunes. Tout en approuvant certaines de ces idées, Richard insista sur l'importance qu'avait pour lui l'observance des rites religieux.

— Le baptême, le mariage, l'enterrement... n'arrivent qu'une fois dans une vie. Pour leur garder tout leur sens, il faut les célébrer avec le plus de solennité possible. Ainsi, je me marierai en grande pompe. Les fleurs, la *Marche nuptiale*, il ne manquera rien !

— Vous n'aurez qu'à embaucher Laura pour tenir l'orgue ! dit Francis en riant.

— J'espère bien qu'elle sera présente... se contenta de répondre Richard.

Dès leur arrivée, elle prépara ses partitions. Richard présenta Francis et Mavis au pasteur et leur fit visiter l'église. Par-dessus la balustrade, Laura aperçut lady Bowden qui descendait l'allée centrale au bras de Sean. Richard les rejoignit plus tard, accompagné de Mavis et Francis.

Le pasteur commença par remercier publiquement les Bowden de leur générosité. Il présenta ensuite Laura comme une organiste lauréate de l'Académie royale et « membre active de la vie musicale londonienne ». Le pauvre ! pensa Laura. Il ignorait certainement tout de ses activités aux *Caves de France*.

Dès qu'elle eut posé les mains sur le clavier, le trac qui l'étreignait jusque-là disparut comme par enchantement et elle savoura l'indicible plaisir de faire vibrer sous ses doigts le merveilleux instrument. Docile, il transformait en musique le bonheur qu'elle éprouvait. L'auditoire retenait son souffle. Et lorsque l'écho du dernier accord se fut évanoui, le pasteur s'avança dans l'allée pour annoncer qu'une réception était organisée pour tous à Hazelhurst.

Redescendant brutalement sur terre, Laura fut saisie de panique. Hazelhurst ! Elle avait cru que cette réception aurait lieu dans le hall de l'église... Il fallait qu'elle rentre tout de suite à Londres avec Francis et Mavis. Elle comprit vite que Richard ne pouvait les ramener avant la fin de la réception. Lorsqu'elle le rejoignit, il la présenta à toute sorte de personnes qui la félicitèrent avec effusion. Tout le monde avait été bouleversé par le concert. Richard ne lâcha pas son bras un seul instant, pas même quand Sean vint saluer Laura et déclara que cette musique lui avait plu mais qu'il préférait celle qu'elle jouait aux *Caves de France*.

— La musicienne qu'ils ont embauchée pour vous remplacer ne vous arrive pas à la cheville, Laura ! J'y ai emmené Sun Lee la semaine dernière. Sun Lee est une amie à moi... une actrice bourrée de talent.

— Richard m'en a parlé. Elle est eurasienne, je crois ?

— Oui, et très douée. Malheureusement, elle ne parle pas un mot d'anglais...

— Tu ferais mieux de rentrer à la maison, intervint Richard. Nos hôtes doivent commencer à arriver.

Quelques minutes plus tard, ils roulaient tous sur la route d'Hazelhurst.

— Quelle chance que le temps soit si beau, fit Richard. Maman a tout organisé dans le parc.

— Une garden-party ! C'est merveilleux ! s'exclama Mavis. Nous devrions en organiser une à Saint-Peter, tu ne trouves pas, Francis ?

— Oui, à condition que tu te charges de tout. C'est une affaire de femme, ma chérie.

— Je vois qu'il y a aussi des phallocrates dans votre famille, constata Richard en souriant à Laura.

L'immense tente dressée au milieu du parc d'Hazelhurst était déjà entourée d'une foule d'invités rivalisant d'élégance, d'esprit et de gaieté. Lady Bowden accourut à leur rencontre.

— Ma chère mademoiselle Talmadge ! Vous avez joué divinement... s'écria-t-elle en serrant les mains de Laura entre les siennes. J'en avais les larmes aux yeux, moi qui ne pleure jamais ! Vous pouvez être fier de votre sœur, ajouta-t-elle en se tournant vers Francis.

— Maman, je crois que tu peux appeler Laura par son prénom, dit Richard.

— Avec joie... Révérend Talmadge, vous souhaitez sûrement bavarder avec notre pasteur. Il est quelque part par là... En attendant, venez avec moi, je veux vous présenter mes cousins.

On leur présenta non seulement des cousins mais également des amis et des voisins, visiblement tous issus de familles aussi anciennes que celle de Richard. Leurs vêtements, leurs manières, leur accent, tout le prouvait. Rassurée par la présence de Richard qui ne la quittait pas, Laura se sentit très à l'aise, d'autant qu'on ne parlait que musique. Elle s'étonna de n'être bientôt plus intimidée du tout. Les hommes semblaient particulièrement heureux de faire sa connaissance et tous étaient curieusement passionnés par l'orgue.

— Laissez-moi votre numéro de téléphone, lui proposa un certain P. Exeter. Je vous appellerai et nous irons au concert.

— Laura est dans l'annuaire, coupa Richard en l'entraînant un peu plus loin.

— Mais ce n'est pas vrai ! protesta-t-elle.

— Je sais. Ce type n'est qu'un coureur de jupons et un horrible raseur, par-dessus le marché !

— Dick, que dis-tu là ? s'étonna lady Bowden. Tu sais bien qu'Exeter est un homme charmant !

Outre la musique, le principal sujet de conversation était les chevaux. Les amis de lady Bowden l'appelaient en effet tous « Tayaut », surnom auquel Laura avait du mal à s'habituer. Quand Richard la laissa un moment seule avec sa mère, un monsieur d'un certain âge au visage rougeaud s'approcha d'elles.

— Quel splendide après-midi gâché, n'est-ce pas, Tayaut ? se plaignit-il. Elle est bientôt finie, cette garden-party ? Si nous allions faire clandestinement... un petit galop ? Qu'en dis-tu ?

— Excellente idée ! Mais avant, j'ai promis quelque chose à Dick. Ma chère Laura, je vais vous présenter au père de Richard. Vous savez sans doute qu'il est alité, sinon il serait avec nous. Il a hâte de vous rencontrer.

Tout en suivant lady Bowden dans la maison, Laura se demandait ce qui pouvait bien lui valoir cet honneur. Elles traversèrent une vaste bibliothèque et s'engagèrent dans l'escalier.

— Vous avez dû me prendre pour une idiote lorsque vous avez dîné avec nous ? Mais j'ai des excuses ! Richard m'avait fait tant de recommandations que je ne savais plus où donner de la tête ! En général, il ne s'occupe pas le moins du monde de ma façon d'agir mais, ce soir-là, je devais porter cette robe-là, dire ceci mais surtout pas ça... Je ne pouvais pas me souvenir de tout, c'était impossible ! J'espère ne pas m'être trop ridiculisée... ?

— Qu'allez-vous penser là !

— Ce qui l'a le plus irrité, c'est que j'ai oublié l'histoire de l'orgue... Je m'en serais souvenue si le cheval de Sean n'avait pas fait des siennes ce jour-là... Ah ! Nous y sommes.

— C'est toi, Tayaut ? appela une voix d'homme. Entre !

— Nous arrivons ! cria-t-elle en poussant la porte.

Laura fut étonnée de se retrouver devant un homme aussi âgé. Sir Greville avait près de quatre-vingts ans. Sans doute s'était-il marié tard. Ses cheveux étaient blancs comme la neige et dans son visage ridé, figé par la maladie, ses yeux bruns étincelaient, pleins de vivacité et pétillant de malice.

— Greville, voici l'amie de Richard, dit lady

Bowden. Laura Talmadge. C'est une excellente organiste.

— Dick me l'a assez répété, répondit le vieillard en serrant la main de Laura. Vous êtes plus jolie que sur la photo, ajouta-t-il en la dévisageant avec attention. Il faut dire que je n'ai vu que la photo d'une photo...

Il faisait visiblement allusion à l'article de journal relatant le scandale des *Caves de France*.

Embarrassée, son épouse toussota.

— Greville, Dick ne veut pas qu'on revienne sur cette affaire, tu le sais bien.

— Je ne vois pas pourquoi je n'en parlerais pas ! Nous sommes en famille, non ? Nous savons tous qu'il s'est conduit comme un crétin ! Je suis tout de même heureux de voir que l'enjeu en valait la peine. Vous êtes ravissante, ma petite. Vous me plaisez beaucoup.

— Nous ferions mieux de le laisser, chuchota lady Bowden à Laura. Le docteur a prescrit à mon mari le plus grand calme et je ne crois pas que la vue d'une aussi jolie blonde soit faite pour l'apaiser... Il a toujours été extrêmement sensible au charme féminin ! Sois gentil, Greville, dors un peu maintenant, dit-elle à haute voix.

Sur le palier, elle hésita un instant.

— Bon, où en étais-je ? Ah oui ! Je dois vous ramener à la bibliothèque... Je suis sûre que nous deviendrons très amies, Laura. Dommage que vous ne montiez pas à cheval. Dick aimait beaucoup ça, autrefois.

— J'imagine qu'il n'a pas beaucoup de temps pour s'amuser maintenant. Son travail est si...

— Oh ! il n'a de temps pour rien ! Je suis même étonnée qu'il ait trouvé le temps de... Ah ! Le voilà. Quand on parle du loup... J'ai suivi tes consignes à la lettre, Dick. Ton père aime beaucoup Laura. Je

150

peux m'en aller ? Je vais faire un petit galop avec Orwell, avant la nuit.

— Bonne idée, maman !

— Tayaut ! lança gaiement lady Bowden avant de sortir.

Richard prit Laura par la main et la conduisit dans la bibliothèque. De grandes fenêtres donnaient sur des jardins en terrasse où se dressaient de belles statues de granit.

— Pourquoi vouliez-vous que je rencontre votre père ? s'enquit-elle.

— C'est lui qui a insisté pour vous voir.

— Mais je me demande pourquoi ?

— Vraiment ? fit-il doucement en lui prenant les deux mains. N'est-il pas normal qu'il ait voulu faire la connaissance de la femme dont son fils ne cesse de parler ? Oh, il était furieux quand il a lu les articles de journaux. J'ai fait de mon mieux pour rétablir la vérité mais je voulais qu'il s'assure de visu que vous n'aviez rien d'une fille de cabaret... Sa désapprobation ne m'aurait pas empêché de... enfin...

Elle gardait obstinément le silence.

— Vous savez ce que j'essaie de vous dire, Laura... Je comprends très bien que vous me méprisiez, mais il y a un malentendu réciproque entre nous, depuis le début. Vous vous êtes trompée sur mon compte. Je ne suis pas du genre à insulter les femmes ni à me fier aux apparences... C'est la jalousie qui a tout embrouillé. Une jalousie... folle. Je voulais tant que vous soyez... ce que vous êtes. Je ne pouvais croire que le destin avait enfin mis sur ma route la femme que j'attendais. Je n'en revenais pas, Laura. Les circonstances de notre rencontre ont malheureusement joué contre nous.

Elle s'efforçait de retenir les larmes qui lui montaient aux yeux. Elle avait la gorge nouée.

— C'est à cause de Sean... dit-elle enfin. Il ne voulait voir en moi qu'une vamp...

— Oui et il s'est persuadé que vous en étiez une. Dire que, si j'avais été le premier à entrer aux *Caves de France*, cet imbroglio aurait pu être évité... Mais tout est arrangé, maintenant. Sean m'a assuré que vous feriez une belle-sœur idéale... Qu'en pensez-vous ?

— Je ne crois pas que... Oh ! Richard... tout nous sépare... Votre vie est si différente de la mienne... parvint-elle à articuler dans son émotion.

— Vous vous trompez, Laura. Tout ceci ne signifie rien pour moi. Je ne l'ai pas choisi. Ce n'est pas ma faute si je suis né dans ce milieu. Vous ne pouvez pas m'en vouloir pour cela. Je n'en suis pas responsable, fit-il d'un ton suppliant.

Laura se mordit les lèvres pour qu'il ne les voie pas trembler.

— Je ne vous en veux pas, Richard... Vous m'oublierez vite.

— Non ! Même si j'essayais, je ne pourrais jamais vous oublier ! Croyez-vous que je n'aie pas essayé ? Et de toutes mes forces ? Même quand je vous détestais, je tenais encore à vous. Je ne vais sûrement pas vous laisser partir maintenant que tout est arrangé. Je vous épouserais même si nous devions vivre dans votre hôtel borgne ! Je vous en prie, Laura, cette maison ne représente rien pour moi...

— Mais ce n'est pas une maison ! C'est un château ! Je me sens incapable d'assumer tant de responsabilités.

— Vous ne serez pas seule, ma chérie. Je serai avec vous. Hazelhurst vous effraie tant que ça ?

— Il n'y a pas qu'Hazelhurst. Lady Althea avait raison. Vous devez épouser une femme de votre rang.

— Lady Althea ? répéta-t-il étonné. Vous l'avez vue ?

— Oui. Elle est venue chez moi pour me dissuader de vous épouser. Elle déclarait parler au nom de vos parents, de votre entourage...

— Certainement pas ! Ma mère et lady Althea sont à couteaux tirés depuis le jour où elle a apporté à Hazelhurst les journaux que je voulais tant cacher à mes parents ! Althea vit dans le passé... Que vous a-t-elle dit exactement ?

— Que nous n'avions rien à faire ensemble, vous et moi... mais si j'en crois les journaux, vous êtes très liés, tous les deux ?

— Non. Nous sommes plusieurs fois sortis ensemble, rien de plus. Quand je suis retourné avec elle aux *Caves de France*, je me suis dit qu'on n'oserait pas mettre à la porte une lady ! fit-il en souriant. Et pour être tout à fait franc, j'espérais aussi vous rendre jalouse. J'ai eu tort de lui avouer que j'étais amoureux — amoureux de vous...

Il se tut un instant puis, devant l'air pas très convaincu de Laura, il ajouta :

— Vous n'aurez pas à diriger Hazelhurst, ma chérie. Jenkins fait ça très bien. Vous pourrez jouer de l'orgue toute la journée, si ça vous chante. C'est pour vous que je l'ai acheté. J'avais besoin d'un prétexte pour vous revoir.

— Un prétexte un peu coûteux...

— J'ai fait d'une pierre deux coups. L'église avait réellement besoin d'un nouvel orgue.

— Vous avez dit à mon patron que vous aimiez beaucoup l'orgue et les organistes.

— Une, surtout, vous, murmura-t-il tendrement. Après votre départ du club, j'ai commencé à aller à Saint-Peter le dimanche. En fait, je ne vous voyais qu'à la sortie. Je levais souvent les yeux pour admirer votre profil de loin. J'ai souvent fait semblant d'avoir égaré mon livre de cantiques pour m'attarder un peu et pouvoir vous regarder. Quand vous avez refusé de me parler et d'accepter mes excuses, au club, il a bien fallu que j'invente une nouvelle tactique. Etait-ce la bonne... ?

Il la regarda avec un espoir fou mêlé d'anxiété.

— Je ferais mieux de répondre oui avant que vous ne m'achetiez l'Albert Hall ! murmura-t-elle riant et pleurant à la fois.

A travers ses larmes, elle vit le visage de Richard rayonner tout à coup d'un bonheur intense. Elle avait tant rêvé à ce moment magique où tout malentendu entre eux serait à jamais dissipé ! Songeant alors qu'elle avait été si près de le perdre, elle frissonna mais toutes ses terreurs disparurent lorsqu'il la prit dans ses bras. Là, elle était enfin à l'abri. Aimée.

— J'ai failli vous dire tout cela le jour où j'ai acheté l'orgue. Mais je tenais à vous demander en mariage ici, à Hazelhurst...

— Dans l'espoir de me décourager ? le taquina-t-elle.

— Non, pour que vous sachiez ce qui vous attendait. Je voulais jouer cartes sur table, ne rien laisser au hasard. On se marie pour le meilleur et pour le pire, Laura.

— Vous êtes sûr de vous, Richard ?

— Jamais je ne l'ai autant été. Ces dernières semaines ont représenté pour moi un véritable calvaire. J'ai cru devenir fou de ne pas même pouvoir vous regarder. Mais maintenant, il me faut bien plus qu'un regard, Laura, mon amour...

Leurs bouches s'unirent tendrement. Certaine d'un amour enfin partagé, elle s'abandonna tout entière à ce baiser passionné. Elle était sur le seuil d'une nouvelle vie mais, avec Richard à ses côtés, rien ne pouvait plus lui faire peur. Elle était capable de tout affronter. Mieux valait avoir trop que pas assez et, sans Richard, il n'y avait rien. Elle se serra plus fort encore contre lui.

Duo

Série Romance

197 MELODIE ADAMS
L'éclat d'une flamme

Eprise d'authenticité et de calme,
Sandra se réfugie au cœur de la forêt canadienne
pour y écrire un roman sans être dérangée.
Bientôt, pourtant, les visites impromptues
de Mark Daniel, le beau pilote, bouleversent
tous ses plans.

198 FRAN WILSON
Un amour sans mémoire

La Suisse... Jamais Fanny n'aurait imaginé revoir
ce pays si cher à son cœur, où Kurt lui a juré
un amour éternel, aussitôt oublié.
Lorsque le destin les met à nouveau en présence,
elle voudrait fuir...
Elle en est incapable.

200 KERRY VINE
Le chant des cigales

Partir pour le midi de la France, quelle aubaine
pour Wendy! La Provence l'enchante,
sa solitude la grise... jusqu'au jour où un violent
orage la jette dans les bras
de Pierre Frayssange...

Ce mois-ci
Duo Série Désir

Duo Série Harmonie

Le mois prochain
Duo Série Désir

Duo Série Harmonie

Achevé d'imprimer sur les presses de l'imprimerie Bussière
à Saint-Amand-Montrond (Cher)
le 25 juin 1984. ISBN : 2-277-80199-2. ISSN : 0290-5272
N° 930. Dépôt légal juin 1984. Imprimé en France

Collections Duo
27, rue Cassette   75006 Paris
diffusion France et étranger : Flammarion